COLLECTION FICTIONS

La porte à côté de Paul Zumthor
est le quatre-vingt-unième titre de cette collection
dirigée par Suzanne Robert et Raymond Paul.

D1529175

LA PORTE À CÔTÉ

DU MÊME AUTEUR

Ouvrages de fiction:

Le chevalier, poèmes, Paris, Cahier du Cercle Dante, 1938.
Le feu sur la moisson, drame, Paris, La Bourdonnais, 1939.
Antigone ou l'espérance, essai poétique, Neuchâtel, Cahiers du Rhône, 1945.
La griffe, roman, Paris, Plon, 1957.
Les hautes eaux, roman, Paris, Éditions mondiales, 1958.
Les contrebandiers, roman, Paris, Éditions mondiales, 1962 (traduit en tchèque).
Le puits de Babel, roman, Paris, Gallimard, 1969 (traduit en italien et couronné du Prix international Veillon 1970).
Midi le juste, poèmes, Gourdon (France), Dominique Bedou éditeur, 1986.
Stèles, suivi de *Avents,* poèmes, Montréal, Trois, 1986.
La fête des fous, roman, Montréal, l'Hexagone, 1987 (traduit en portugais).
Point de fuite, poésie, Montréal, l'Hexagone, 1989.
Les contrebandiers, nouvelles, Montréal, l'Hexagone, 1989.
La traversée, roman, Montréal, l'Hexagone, 1991.

Ouvrages et critiques:

Merlin le prophète, un thème de la littérature polémique, de l'historiographie et des romans, Lausanne, Payot, 1943; réimpression avec une nouvelle préface, Genève, Slatkine, 1973.
Victor Hugo, morceaux choisis, 2 vol. (prose, vers), en collaboration avec G. Gattaui, Fribourg, L.U.F., 1945.
Saint-Bernard de Clairvaux, textes choisis, traduits et présentés, en collaboration avec A. Béguin, Fribourg, L.U.F., 1945; réédition, Paris, 10/18, 1986.
Victor Hugo, poète de Satan, Paris, Laffont, 1946; réimpression, Genève, Slatkine, 1973.
Lettres de Héloïse et Abélard (traduites), Lausanne, Mermod, 1950; réimpression avec une nouvelle introduction, Paris, 10/18, 1978.
Miroir de l'amour: tragédie et préciosité, Paris, Plon, 1952.
Histoire littéraire de la France médiévale (VIᵉ-XIVᵉ s.), Paris, PUF, 1954; réimpression avec une nouvelle introduction, Genève, Slatkine, 1973.
Charles le Chauve, Paris, Club français du livre, 1957; réédition, Paris, Taillandier, 1981.
La vie quotidienne en Hollande au temps de Rembrandt, Paris, Hachette, 1960; réédition 1990 (traduit en anglais, néerlandais, allemand, portugais, hongrois, polonais, couronné par l'Académie française; prix France-Hollande).
Langue et technique poétiques à l'époque romane, Paris, Klincksieck, 1963 (traduit en italien); réédition en microfiches, 1974.
Guillaume le conquérant et la civilisation de son temps, Paris, Hachette, 1964 (traduit en polonais); réédition, Paris, Taillandier, 1978 et 1987.
Essai de poétique médiévale, Paris, Seuil, 1972 (traduit en italien, anglais et roumain).
Le masque et la lumière: la poétique des grands rhétoriqueurs, Paris, Seuil, 1978.
Anthologie des grands rhétoriqueurs, Paris, 10/18, 1978.
Parler du Moyen Âge, Paris, Minuit, 1980 (traduit en italien et anglais).
Introduction à la poésie orale, Paris, Seuil, 1983 (traduit en italien, espagnol, portugais, arabe, anglais, hongrois et allemand).
La lettre et la voix: De la «littérature» médiévale, Paris, Seuil, 1987 (traduit en italien, portugais et espagnol).
Écriture et nomadisme, Montréal, l'Hexagone, 1990.
Performance, réception, lecture, Montréal, Préambule, 1990.
Abélard: Lamentations, Aix-en-Provence, Actes Sud, 1992.
La mesure du monde, Paris, Seuil, 1993 (traduit en italien et espagnol).
Les riches heures de l'alphabet (en collaboration avec H. Chopin et M. Saillard), Paris, Traversière, 1993.

PAUL ZUMTHOR

La porte à côté

Nouvelles

l'HEXAGONE

Éditions de l'HEXAGONE
Une division du groupe
Ville-Marie Littérature
1010, rue de la Gauchetière Est
Montréal, Québec
H2L 2N5
Tél.: (514) 523-1182
Télécopieur: (514) 282-7530

Maquette de la couverture: Nicole Morin
En couverture: Porte reliant le porche à la nef,
église de Santo Antônio de Paraíba, Brésil.
Tiré de *Arte sacra brasileira*, Rio de Janeiro, Éditions Colorama, 1988.
Mise en pages: Édiscript enr.

DISTRIBUTEURS:

• Pour le Québec, le Canada et les États-Unis:
LES MESSAGERIES ADP*
955, rue Amherst, Montréal, Québec H2L 3K4
Tél.: (514) 523-1182
Télécopieur: (514) 939-0406
* Filiale de Sogides ltée

• Pour la Belgique et le Luxembourg:
PRESSES DE BELGIQUE S.A.
Boulevard de l'Europe, 117, B-1301 Wavre
Tél.: (10) 41-59-66
(10) 41-78-50
Télécopieur: (10) 41-20-24

• Pour la Suisse:
TRANSAT S.A.
Route des Jeunes, 4 Ter, C.P. 125, 1211 Genève 26
Tél.: (41-22) 342-77-40
Télécopieur: (41-22) 343-46-46

• Pour la France et les autres pays:
INTER FORUM
Immeuble ORSUD, 3-5, avenue Galliéni, 94251, Gentilly Cédex
Tél.: (1) 47.40.66.07
Télécopieur: (1) 47.40.63.66
Commandes: Tél.: (16) 38.32.71.00
Télécopieur: (16) 38.32.71.28
Télex: 780372

Dépôt légal: 3ᵉ trimestre 1994
Bibliothèque nationale du Québec
Bibliothèque nationale du Canada

Après tant d'années qu'on a vécues, toutes les portes sont devenues pour nous celle d'à côté: celle qu'on n'a pas le droit d'ouvrir. Ce droit, certains le prennent, par force ou par ruse. Tant mieux pour eux! C'est par là qu'ils peuvent sortir. Nous, les autres, on reste: ici, coincés. Heureusement qu'il y a de belles images sur les murs, plus émouvantes et vraies que le vrai. On finira par oublier l'en dehors.

Le temps s'écoule ainsi: le temps d'une vie, je veux dire de cet interminable monologue que nous tenons, pour combler notre lieu clos, face à la Mort. Nous voudrions bien que ce fût un dialogue, mais la Mort ne répond pas.

Mon manuscrit bouclé d'hier, je note sur un calepin ces dernières phrases, debout contre la balustrade, à la terrasse de Westmount. Ma vue embrasse largement le sud-ouest de la ville, le fleuve, la ligne lointaine des montagnes. Celles du Vermont se sont drapées d'une brume mouvante, bleu-gris, presque blanche. Devant moi, le soleil matinal déchire le voile des nuées et frappe avec aigreur un vaste espace au milieu du lac Saint-Louis. Le reflet m'éblouit; des taches sombres circulent dans mon regard.
Indifférent, le fleuve s'écoule, dans sa gloire.

Montréal, 15 décembre 1993

Récits

Interview

J'étais au Brésil depuis six mois, invité dans une petite université du nord-est. Au-delà des collines bleu-tées et rases qui fermaient l'horizon occidental brûlait l'immensité rocailleuse du sertão, close sur elle-même en dépit de son étendue et comme ratatinée dans l'in-fini, le long de ses rivières à sec, parmi les buissons mortels de la caatinga. Cette région me fascinait, plus que les douceurs des palmeraies océaniques; et j'avais employé les quelques loisirs que me laissait l'enseigne-ment à parfaire ma documentation sur les habitants, leur histoire, leur culture.

Les vacances m'avaient permis une longue ran-donnée à travers le Paraíba et le Pernambouc. J'avais poussé une pointe, au Ceará, dans la vallée du Cariri, d'où les paysans misérables s'enfuient aujourd'hui par autobus entiers pour aller mourir sur les trottoirs de São Paulo, mais qui, dans la tradition légendaire, fut longtemps pays de cocagne, le paradis retrouvé sur terre. Triste paradis d'enfants nus aux yeux de famine; d'hommes désœuvrés, accroupis au pied de leur mur, la casquette sur les yeux; de femmes toujours encein-tes sous leurs haillons et l'incendie du ciel; de vaches efflanquées, titubant dans leur quête hallucinée d'une frange d'ombre... Je menais en amateur une enquête

sur les poètes populaires, encore nombreux, m'assurait-
on, dans ces régions: improvisateurs exhibant leur art,
parfois en vastes compétitions, lors de fêtes ou de mar-
chés; chanteurs et déclamateurs dont les composi-
tions, versifiées selon des règles très anciennes, se vendaient en livrets de quelques pages, grossièrement
imprimés et que l'on présentait épinglés à une corde-
lette, comme du linge à sécher. Ces «feuillets» (*folhetos*,
tel est leur nom local) étaient, il y a peu d'années encore, illustrés de gravures sur bois que de nos jours les
collectionneurs s'arrachent. Je m'intéressais davantage
aux textes, souvent issus — par quelle genèse? — de
légendes de notre Moyen Âge: univers en marge de ce
que nous désignons comme littérature, mais lourdement compensatoire, saturé des haines, des amours,
des dérisoires espérances d'un peuple rejeté parmi les
détritus de notre modernité, et qui depuis un siècle
tente de se bricoler avec ces rebuts un espace imaginaire où l'on pourrait vivre.

Je rentrais, riche de cette expérience, et d'un
épais dossier dont je ne savais trop encore quel parti
j'allais tirer. Mes fonctions à Fortaleza prenaient fin. À
l'invitation d'amis chers, j'acceptai de passer quelques
semaines dans une petite maison qu'ils me prêtaient,
sur l'une des îles de la baie, face à Salvador — qu'en
France on s'obstine à nommer Bahia. C'était maintenant l'hiver, aux tendresses de printemps romain. Le
jour tombait vers six heures. J'écartais mes papiers, le
cahier où j'esquissais le plan du livre qui, pensais-je,
s'imposait. Au-delà de la barrière de bois peinte en
blanc qui fermait symboliquement les cinquante mètres carrés du jardinet, un banc de ciment dominait la
plage. Un vieil homme tremblotant, à tignasse et
barbe grises, se tenait là tous les soirs. Je m'asseyais à
son flanc. Nous n'avions rien à nous dire. Au village
d'Itaparica, l'aubergiste chez qui je prenais mes repas

lui attribuait près de cent ans; il aurait été (confiait-on en baissant la voix) l'un des derniers *cangaceiros*, ayant survécu à l'expédition militaire qui avait, en 40, coûté la vie à Corisco, le Diable blond. On affectait de frissonner. Le vieux abritait ses yeux des deux mains. Devant nous, par-delà quelques kilomètres d'eau violette, les grands immeubles, dressés sur les collines qui barraient notre horizon, viraient au blanc intense. Une lumière légèrement dorée en émanait dans le firmament sans nuages que la masse sombre des parcs disséminés à travers la ville obscurcissait par endroits. La longue barre ocrée du couchant sombrait; durant un bref instant, la houle qui roulait du large tentait d'en emprisonner les feux. On voyait aborder là-bas le dernier bateau. À la pointe, devant le fort de Santo Antonio, le phare commençait à balayer de ses traits tournants l'étendue de ce qui serait bientôt la nuit. Je rentrais, reprenais mes fiches pour une heure, dans le soir au parfum d'orange.

Plusieurs des témoins dont j'avais noté les paroles, instituteurs, curés, paysans âgés, notables locaux, mais aussi typographes ou colporteurs, m'avaient cité comme «le meilleur» des «troubadours» (tel est le terme généralement employé dans la région pour désigner les poètes populaires) un certain Manoel Severino, dit Santana, aujourd'hui d'un grand âge et qui depuis longtemps ne composait plus. La fréquence de ce nom dans mes notes m'inspirait le désir de connaître l'homme, dépositaire sans doute de traditions vénérables, en pleine désagrégation chez de plus jeunes. J'avais fini, non sans mal, par dénicher son adresse approximative: il vivait chez sa fille, dans un quartir décrépit de Salvador, sur la pente abrupte qui domine la belle église de la Conceição da Praia.

Je décidai d'aller le voir: nul doute que, par son intermédiaire, j'acquerrais quelques pièces rares pour ma bibliothèque de *folhetos;* surtout, les confidences qu'il ne manquerait pas de me faire sur sa vie, son métier, sa carrière, conféreraient sa mesure humaine à l'étude que j'avais l'intention d'écrire. Des collègues de l'Institut du folklore se proposèrent pour prendre contact avec Santana et lui annoncer ma visite. Je ne sais s'ils le firent vraiment. Du moins, un coup de téléphone de l'un d'eux m'engagea à tenter l'aventure sans plus attendre: le vieux était chez lui, il fallait saisir l'occasion. Où, exactement? Quelque part vers Santa Teresa, tout le monde connaît... J'adore la précision brésilienne — non moins efficace, du reste, à l'usage, que l'horlogerie suisse. Je traversai la baie et, du Mercado Modelo, confiai mon sort à un taxi. Le chauffeur s'égara dans des rues improbables, entre des façades décomposées, rouillées ou grisâtres sous le ciel outremer, parmi les pleurs et les rires d'enfants nus; il stoppa deux ou trois fois, se renseigna, sans succès d'abord. À l'entrée de la ruelle qui longe, en contrebas de son jardin, l'église (désaffectée, et abritant un très beau musée d'art sacré), une bande de négrillons se querellaient en piaillant. Au nom de Santana, ils s'interrompirent, soudain aux aguets. Une femme se détacha d'un seuil, d'un geste large désigna l'extrémité de la rue, que tranchait un mur.

«C'est là!» s'exclama-t-elle.

Elle en semblait fière.

Non, inutile de nous conduire. Je payai le taxi et le renvoyai.

La rue n'avait pas deux cents mètres de long. L'église la dominait d'un bout à l'autre, de toute la hauteur des bâtiments conventuels dans lesquels elle s'encastrait. En face, à un immeuble vide, fenêtres brisées, façade noircie par un incendie, s'appuyait une rangée de maisons basses, badigeonnées de couleurs claires. Deux ou trois portes aux gonds arrachés béaient sur des intérieurs déserts. Des enfants au gros ventre, des chiens décharnés jouaient bruyamment ensemble à recréer un espace à leur mesure dans les trous de la chaussée, dont une partie des pavés avaient été déterrés, quand, par qui, dans quel but, de telles questions n'importaient en rien. Des adolescents taciturnes, au regard clos, s'aggloméraient à l'ombre de l'ample manguier qui passait le mur. Je traversai leur groupe, sourire aux lèvres. Eux refusaient de me voir. Ils étaient de ces «jeunes» (comme on dit pour apprivoiser la peur diffuse qu'ils inspirent) dont le seul espoir est de nous punir de les avoir mis au monde.

Un long homme maigre venait à ma rencontre.

«Vous cherchez Santana?»

C'était moins une question qu'une constatation péremptoire.

La pomme d'Adam roulait comme une balle de ping-pong sous la peau sèche.

Toute la rue, tout le quartier peut-être, savait maintenant que le grand homme recevait de la visite. Plus bas, le long de la mer, la rumeur de l'autoroute s'élevait comme le battement d'un cœur surmené.

«J'y vais, dis-je.

— C'est là.»

C'était l'avant-dernière porte, ouverte dans une façade rose, fraîchement repeinte, proprette.

Une femme sans âge, fluette, au gros nez piqueté, me regardait venir.

«Sa fille… dit l'homme.

— Je sais. Merci. Au revoir.»

À regret, l'homme s'éloigna. Il ne fit du reste que traverser l'étroite rue et s'arrêta, l'oreille tendue.

Dans le visage immobile de la femme, les yeux semblaient plus immobiles encore. Au-dessous d'une jupe informe, au jaune délavé, les varices serpentaient autour des jambes comme de gros vers.

Sans mot dire, elle entra. Je la suivis.

On était dans une cuisine chaulée, dépourvue de meubles autres qu'une table et deux tabourets — face à l'âtre et au fourneau à bois qui en occupait le centre — parmi des relents d'huile de palme refroidie. Une bouteille de *cachaça* à demi vide, sur une tablette, composait l'unique décor.

Dehors, des fillettes chantaient une ronde.

Une porte claqua quelque part. Un petit homme entra, emplissant d'un coup l'espace entier. Des cheveux blancs et drus, taillés en brosse, l'épaisse moustache jaunie de tabac, l'œil vif, un physique de nageur: dos droit, épaules hautes, nuque épaisse, chacun des traits, la structure même des larges mains, contribuaient à créer l'impression d'une force imployable.

«Me voici!» lança-t-il.

Déjà cette voix claironnante n'étonnait plus.

Les deux mains achevaient de rentrer dans un pantalon de velours lassé la chemise à fleurs, elle, bien nette, qui enserrait le torse. Une touffe de poils gris pointait du col ouvert.

Le doigt montra l'un des tabourets.

«Journaliste? Écrivez donc!»

L'ordre était sans réplique. Un peu décontenancé, je tirai de ma poche bloc-notes et stylo à bille.

L'homme me regarda, fit le salut militaire, puis éclata de rire.

«Manoel Severino, pour l'état civil.

— Je sais. Je sais aussi…

— Rien! Rien de moi! Je suis né un 3 novembre. C'était en 1910 ou 11… Attendez, monsieur le journaliste. Comptons.»

Il se glissa l'autre tabouret sous les fesses. Sa main fit un geste tâtonnant en direction de la *cachaça*, mais ne put l'atteindre.

«Quel âge avez-vous? demandai-je, pensant l'aider dans son calcul.

— Les uns disent soixante-dix-neuf, d'autres quatre-vingts. Alors...

— Sans importance. Dites-moi plutôt: où avez-vous appris la poésie?

— Ici.»

Un regard circulaire embrassa la cuisine et le lambeau de ciel que découpait la porte. Des visages s'y pressaient. Ils étaient huit, dix, plus peut-être, à essayer d'entendre.

«On n'allait pas à l'école, dans le temps, déclara Santana. On apprenait en écoutant les vieux.

— Vous avez écouté d'autres poètes?

— Mon père, à Recife. C'est de là qu'on vient.»

Il me regarda, sembla hésiter à sourire. Se moquait-il?

Il reprit:

«Analphabète, j'étais. J'ai appris à lire tout seul, à vingt ans. Je faisais marchand ambulant, je vendais des lacets, du fil, des aiguilles, tout ça, dans les villages. Un jour, Beppo, c'est un cousin, m'a fait prendre un lot de *folhetos*. C'est comme ça que tout a commencé, monsieur. Comme ça, pas autrement.»

Il était lancé. Je lâchai mon papier, avide de ne pas perdre une image de la scène. Santana s'échauffait, laissait ses deux mains façonner le récit, sa voix s'infléchir, s'enfler, retomber soudain, repartir: le grand jeu.

«Mon premier feuillet, je l'ai écrit vers l'an 40, je me rappelle. Beppo venait de fonder sa typographie, à Cachoeira. J'ai quitté Recife. Je me suis établi dans le Reconcavo. C'est là que je me suis marié. Maria de Lourdes, elle s'appelait, je n'étais plus tout jeune, Maria de Lourdes Apodinho. Nous avons vécu cinquante ans ensemble, enfin presque. En voici deux qu'elle est morte, la pauvre, à cette heure qu'est-ce qu'il en reste, au fond du trou? C'était pourtant une jolie fille, dans le temps. Alors, dans toutes les villes de l'État de Bahia, ou presque, les villages jusqu'au Bom Jesus de Lapa et plus loin encore, partout, même dans les hameaux isolés, on m'y connaît, monsieur. J'ai pris le nom de Santana parce que c'est à cette foire-là que j'ai gagné mon premier argent de poète, je me rappelle, c'était au temps du président Vargas, ce grand homme, oui, monsieur! Ils venaient de tuer Corisco, on en parlait dans tout le sertão, avec des soupirs de soulagement gros comme ça. Mon premier feuillet, il s'appelait *La mort du Diable blond*, c'était le titre… Non, monsieur, plutôt *Le monstre sans âme* ou *Le mystère du palais d'acier*, enfin j'ai oublié, ça fait si longtemps. J'en ai écrit des centaines, de feuillets, monsieur, comprenez-moi! des centaines, et dix au moins sur les aventures de Getúlio Vargas, ce grand homme, oui, monsieur!»

Subitement il s'arrêta. Ses yeux me transperçaient.

«Vous ne prenez pas de notes?

— Je vous écoute. C'est passionnant…

— Tatata! Écrivez!»

Je saisis le bloc-notes, le stylo. Il enchaînait:

«Des centaines de feuillets. La plupart avaient leurs trente-deux pages, en bons vers bien rimés. Jusqu'en 64, je les présentais moi-même. J'aimais chanter au marché ou devant les églises. Je m'accompagnais à la guitare, on disait que je jouais bien. Les gens étaient généreux alors. Quand les militaires sont venus, je me suis méfié. J'ai vendu mes poèmes à d'autres pour qu'ils les disent: de préférence à des aveugles, ils ne risquent rien, qui ferait du mal à un aveugle? Mais ce n'est pas tout.»

Il laissa un bref silence s'installer, où résonnait gravement cette annonce. Sa voix baissa d'un ton:

«J'ai fait des sonnets, aussi.»

J'enregistrai, avec le sérieux qui s'imposait, la confidence, puis demandai, le stylo levé:

«Vous les avez publiés?»

Il s'esclaffa.

«Vous plaisantez, monsieur le journaliste! Qui s'intéresserait à des sonnets dans un champ de foire? Vous le savez bien, monsieur le journaliste, qu'un sonnet, n'importe qui ne peut pas en faire! Je vous nommerais dix, vingt, trente poètes qui ont composé des dizaines de *folhetos* mais n'ont jamais été foutus d'écrire un sonnet! Ils disent: c'est parce que personne n'en achète. C'est bien vrai. Mais ceux qui font des sonnets ne les font pas pour les vendre, ah non! mais pour le plaisir de les faire. Un sonnet, c'est difficile, mais tellement agréable! Moi, monsieur...»

Il s'interrompit, se leva, me dévisagea. Un tremblement léger agitait les lèvres de sa fille, debout contre le chambranle de la porte, comme pour contenir l'invasion des visages tendus vers nous.

«Combien en ai-je écrit, de sonnets? Devinez donc, monsieur!

— Comment saurais-je...

— Vous ne me croirez pas, monsieur. J'en ai fait trois cents!»

Il se tut, sembla hésiter à se rasseoir. Je n'avais plus devant moi qu'un petit vieillard moustachu, qui s'efforçait de porter allégrement un poids invisible d'échecs. Dehors, la lumière bleuissait.

«Voulez-vous que je vous en dise un? demanda Santana.

— Naturellement.

— Alors, écrivez!»

Le stylo aux doigts, j'attendis.

«Voilà. Écrivez: *Chimères*. C'est le titre.»

J'écrivis: *Chimères*.

Le vieux s'était redressé. Il avait grandi. Son regard ne me voyait plus. Les lèvres prononçaient des mots. Je notais presque au hasard. Soudain, la voix resta suspendue.

«Mettez une majuscule à Homme. Et aussi à Mensonge. Ce sera mieux.»

Le vers reprit. Il était question de la Vanité de tout. Les clichés défilaient. On arriva au bout.

Santana tendit la main vers sa fille, toujours immobile. Il dit:

«C'est à sa naissance que j'ai écrit ça.»

Il se rassit. Il semblait épuisé, il s'appuya des deux coudes à la table. Il attendait. À moi de parler, sans doute; de meubler ce vide. Je questionnai:

«Pour chacun de vos enfants, vous avez…

— Peuh!»

Du doigt il écrasa le postillon dont il venait de souiller la table.

«Combien d'enfants avez-vous eu?

— Vingt-deux, je pense. Mais dix-huit ou dix-neuf sont morts.»

Il haussa une épaule, me considéra. L'œil s'était troublé. L'homme était rentré en lui-même, subitement, comme on tombe. Il avait encore vieilli. Je sortis mon paquet de cigarillos, le lui tendis. Nous nous allumâmes à mon briquet. Il se mit à téter de façon précipitée. Il luttait contre une angoisse ancienne, aussi reconnaissable à ses indices qu'impossible à cerner. Sa fille s'était approchée de lui. Elle posa la main sur sa nuque et chuchota d'une douce voix musicale, émanation surprenante de ce corps sans grâce:

«Parle-lui de ta trouvaille.»

Le regard s'éclaira. L'homme avait repris sa vivacité et son astuce.

Je demandai:

«La trouvaille? Elle veut dire une invention?

— Et comment!»

Santana éclata de rire, se frotta les mains. Sa voix s'échauffa et s'émut, semblant s'élever d'un niveau de conscience plus profond, plus pur.

«Eh bien, voilà. Moi, j'ai trouvé ce que tout le monde cherche depuis toujours: le mouvement perpétuel!»

Je l'observai, hésitant à interpréter ces mots littéralement ou par image.

«J'y ai travaillé plus de vingt ans, monsieur le journaliste. Écrivez. Écrivez donc! J'y ai passé des nuits, j'y ai dépensé l'argent de la famille, comment faire autrement, hein, monsieur? C'était une si belle machine! Mais c'est très difficile à expliquer...

— Vous en avez parlé?...

— Tout Cachoeira était au courant, à une époque, tous en étaient fiers, pensez, là, dans leur ville! Des gens venaient même, les jours de marché, de Santo Amaro et de Maragogipe pour voir ma belle machine. Mais moi, je refusais de la montrer. Pas si bête! Ils étaient capables de l'imiter et de s'en faire gloire. Maria de Lourdes me serinait: «Descends à Rio, parle au président, aux députés, aux ministres! Tu feras fortune, on sera riches, on achètera une maison!» J'ai fini par me décider. Je parlerais à Getúlio, ce grand homme. Il m'a fallu des mois pour mettre l'argent de côté. Mais voilà: quand je suis arrivé, on m'a dit que, la veille, Getúlio s'était suicidé! La malchance, monsieur, la...

— Et ensuite?

— J'ai tout cassé, par dépit; et aussi de peur qu'on me vole.»

La mâchoire s'affaissa, découvrant des dents verdâtres. La fille avait reculé jusqu'au mur, maintenant recouvert d'ombre. Elle se cacha les yeux de ses deux mains. Je vis qu'elle se rongeait les ongles. Puis, elle abaissa un doigt sur l'épaule de son père, en une timide caresse. Une peur liquide humectait son visage. Combien de fois avait-elle entendu cette histoire, en feignant de l'ignorer encore? Combien de fois, participé à cette célébration d'un passé peut-être imaginaire, en témoignant d'une dévotion inaltérable? Le vieux me sourit. Il souriait pauvrement, en homme qui a besoin d'être aimé. Sur la table, entre nous, il m'offrait ses paumes ouvertes, comme pour que je constate les stigmates qu'y avait laissés cette putain de vie.

J'aurais voulu le consoler. De rien: consoler, tout court. Mais le regard, fier et humble à la fois, solitaire et blessé, me décourageait de prononcer des mots trop personnels. Un chagrin collait à lui comme une odeur.

La fille pleurait sans bruit, debout, le dos au mur, les mains sur le visage, comme pour le tenir, l'empêcher de se défaire. Des larmes coulaient entre ses doigts.

Les gens, à la porte, s'en étaient allés. Des oiseaux pépiaient dans les branches du manguier, célébrant la fin du jour. Un silence s'étendait, il avait envahi cette pauvre cuisine. Il en battait les murs comme un papillon de nuit.

Une quinte de toux le rompit. Elle secouait Santana de la tête à la ceinture. Un pleur roula au coin de l'œil. Enfin, l'homme put reprendre la parole, avec prudence, un ton plus bas.

«Chimères, dit-il. C'est bien ça. Grandeur, misère, tout vient, tout va, qui est quoi? J'aurais pu être député, président, ministre. Eh bien, je ne le suis pas. Que suis-je? Un poète! Un poète, imaginez-vous! Et vous, monsieur, qui vous a fait journaliste? Mais peut-être vous ne l'êtes pas. Alors? Chimères, chimères…»

Il toussa. Puis, regardant sur la table ses mains étalées:

«Mais tout ça n'est rien. Ce qui fait mal...»

Il se tut. Une émotion intense l'étreignait. Ses mains se mirent à trembler, il ne les commandait plus.

«... ce qui me fait mal...

— C'est quoi donc?... demandai-je, très doucement.

— La mort de Marinhita.

— Qui était-ce, Marinhita?

— Ma fille, la dernière, Marinhita jolie. Elle avait douze ans. Ça me fait mal d'y penser...

— Et de quoi est-elle morte?

— De faim.»

❑

Le ciel, à l'ouest, s'embrasait d'ocre et de pourpre, par-delà l'horizon haché des toits. De la ville haute me parvenait l'écho des tam-tams du candomblé, mêlés à des aboiements de chiens fous. Samedi soir. Au Terreiro de Jesus, à la place Anchieta et jusqu'en bas du Pelourinho, s'amassait lentement la foule, parmi les lambeaux de musique, rock ou samba, débordant des boutiques pressées, des bars, des groupes amalgamés sur le trottoir. Dans un instant, comme prend un feu, allait éclater la fête.

Docteur Schneider

Il aimait son titre — acquis, avouait-il, dans la nuit des temps. En dépit de l'injuste usage populaire qui le réserve aux médecins, il le liait à son nom comme un préfixe. Il était docteur ès lettres, mention «histoire». Son diplôme (il ne manquait pas une occasion de le rappeler) avait péri dans l'incendie de 1940. Sa parole faisait donc preuve.

Il était arrivé près d'un demi-siècle auparavant de son Alsace natale et n'avait plus bougé, devenu avec le temps personnage quasi folklorique de la «vieille ville». Cette expression désigne le quartier délabré, ramassé sur lui-même et passablement embrouillé, autour duquel, il n'y a pas si longtemps, s'est formée et étendue B***, aimable capitale provinciale. Mes parents m'avaient convaincu de venir achever dans ce cadre qui, leur semblait-il, était plus propice à un travail sérieux, des études de lettres commencées en pleine agitation parisienne d'avant 68. Je demeurai ainsi à B*** trois années qui me parurent longues, mais qui assurèrent, je n'en doute pas, le succès facile de mes examens et ma prompte mise en selle professionnelle.

Tout ici me paraissait alors paisible et vieillot, parfumé de tendresse désuète, en dépit des efforts de modernisation déployés par la municipalité. Mes parents

n'avaient pas si mal jugé: la vie ne pouvait être que stu-
dieuse, faute de distractions. J'habitais une pension
près de la cathédrale — un gothique finissant, gâché
d'adjonctions louisquatorziennes. À neuf heures du
soir, les rues étaient désertes; avant onze heures, tout
dormait. De ma fenêtre j'assistais le matin au défilé
des enfants qui se bousculaient vers l'école primaire
dont l'austère façade de caserne me bouchait la vue
après le carrefour. Çà et là, une porte d'arrière-boutique
ou de garage avait servi de tableau noir à un groupe
de fillettes sages jouant à l'institutrice: on y lisait en
passant des restes à demi effacés d'addition, ou l'im-
parfait du verbe chanter. Les dimanches de printemps,
des familles se rendaient à la messe dans le parfum des
lilas, en vêtements plus clairs et plus légers. On avait,
pour la première fois, costumé en jeunes filles des ga-
mines aux genoux encore couronnés: elles ressem-
blaient à ce qu'avaient dû être leurs mères au même
âge, par un même matin d'avril. En fin d'après-midi,
on arpentait la rue de la République, de la gare à la
Place du marché et retour: on appelait ça «faire la
Rép'». Sous les lumières crues et rassurantes des vitrines, les jeunes femmes se laissaient aborder sans trop
de crainte. Parfois, une brève intrigue se nouait, un
jour de fête, dans l'une des guinguettes qui bordaient,
à quelques kilomètres de là, une étroite et verdoyante
rivière sous les arceaux d'ormes gigantesques. Toutes
les heures un autobus y conduisait. Quelqu'un jouait
de l'accordéon dans un bar. On faisait la queue au terminus en rêvant d'évasions lointaines.

Invariablement, les journées s'achevaient, après la
fin des cours, au café de la Paix, sur le Mail, face aux
cariatides lourdement mamelues qui, au-delà d'une
rangée de marronniers, encadraient la porte de l'hôtel de ville. «La Paix», c'était le lieu par excellence de
rassemblement et de loisir. De six à neuf, en toute

saison, une foule s'y pressait. Les commerçants y trai-
taient d'affaires; les jeunes, d'idées et d'amour, ou de
ce qu'ils appelaient de ces noms. Une tablée de gros
hommes à casquette discutait avec passion d'investisse-
ments et de profits: il s'agissait de millions, mon vieux,
de dizaines de millions... Ce n'étaient pas leurs millions à eux, mais d'en parler leur donnait une illusion
de puissance. Des bouffées de senteurs alléchantes
s'échappaient de l'office chaque fois qu'un garçon, les
mains chargées de son plateau, en ouvrait la porte
d'une poussée de pied. Dans l'arrière-salle, on jouait
au ping-pong. Le tap-tap des balles sonnait à l'oreille
comme le bruit d'une conversation précipitée et futile.

À sept heures précises apparaissait le docteur
Schneider. Durant quelques instants, sa corpulence
obstruait l'embrasure de la porte. Le regard parcou-
rait la salle. Puis le Docteur, après s'être découvert, entrait. Le garçon lui gardait sa table, toujours la même,
à l'intérieur mais qui, à la belle saison, jouxtait la terrasse et l'animation de la rue. D'un pas lent, le Docteur avançait, serrait jovialement quelques mains,
poussait de biais entre les guéridons sa pesante masse
de chair dissimulée sous un vêtement très correct, clas-
sique, sans audace et qui toujours flottait un peu
autour de lui. Nous le voyions venir: il saturait cet espace. Le nez large, les lèvres charnues pouvaient signifier aussi bien la générosité du cœur que la plus
épaisse gourmandise. Les cheveux blonds s'éclaircis-
saient, les mâchoires s'étaient alourdies, disaient ceux
qui l'avaient connu il y a longtemps. Quel âge avait le
Docteur? Soixante, soixante-dix ans? Peu importait
tant il paraissait évident qu'il atteignait alors l'âge qu'il
avait eu toute sa vie.

Le Docteur levait le doigt. Le garçon savait. Il lui
apportait sa bière bien fraîche, toujours la même, une

blonde strasbourgeoise dont la mousse humectait la moustache comme des larmes. Le Docteur l'avalait à petites gorgées, l'œil concentré, puis reposait sur la table le haut cylindre de verre et souriait. Nous étions trois ou quatre camarades à bien l'aimer, avec amusement. Il nous offrait son spectacle. Lui (je le pense aujourd'hui) nous aimait vraiment, pour notre jeunesse et les passions, vives encore, qu'il nous supposait. Nous le rejoignions à sa table. Il nous parlait. Nous savions qu'il avait enseigné l'histoire dans un collège privé; la rumeur lui attribuait une retraite confortable. Les souvenirs qu'il aimait évoquer pour nous, sans nom ni date, voguaient sur un nuage de rêve, loin au fond du blanc toujours un peu rougeâtre de ces yeux creusés dans leurs cavernes broussailleuses. Des rides profondes et dures sculptaient son visage, y plaquant un masque propre à cacher toutes les émotions. Inlassablement, indifférent aux redites, le Docteur nous contait, de sa vie, les épisodes choisis auxquels il l'avait peu à peu réduite, l'accident qui avait entraîné la mort de son épouse, une fille dont il avait de quoi être fier, deux maisons qu'il possédait, l'une ici, à trois minutes de la cathédrale, une belle bâtisse de pierre ancienne; l'autre en pleine campagne, du côté de Champigny. Nous en faisions des gorges chaudes: Champigny, une sinistre banlieue, était aussi semblable à la campagne, disions-nous, qu'un ciel de corbillard à la nuit. Puis, subitement, la voix changeait de registre. Par jeu, l'un d'entre nous posait, avec une fausse naïveté, une question qui relançait ou décalait le discours. «Au temps de vos études, docteur Schneider…?» Ça repartait: ce temps-là rayonnait de lumière, tout là-bas, dans l'échancrure de sa mémoire. Toujours les meilleures notes, les plus brillants examens. Où? Dans quelle faculté illustre? Jamais nous ne le sûmes. On murmurait des noms de villes allemandes, du temps où l'Alsace…

Un livre dépassait de la poche du Docteur, pas assez pour qu'on en puisse déchiffrer le titre, toujours le même livre. On ouvrait des paris. L'hypothèse la plus plausible était qu'il s'agissait d'un manuel scolaire, le cartonnage semblait l'indiquer, évidemment, pensions-nous, un manuel d'histoire! À plusieurs reprises, arrivant à «la Paix» un peu plus tard que d'habitude, nous surprîmes de loin le Docteur, courbé bien bas sur la table, un crayon aux doigts, occupé à souligner des phrases de son livre. Prestement, il refermait celui-ci et l'avait rempoché avant que nous n'ayons gagné nos places.

Ses récits faisaient grand état des responsabilités qui pesaient sur lui. Nous savions, grâce aux indiscrétions d'une amie, à quoi nous en tenir. Le Docteur rendait bénévolement service à l'une des paroisses de la ville, ayant persuadé le curé de lui confier l'administration du bureau de bienfaisance. Sinécure, en cette époque prospère, nous disions-nous avec la légèreté de nos vingt ans. Mais le Docteur avait exigé qu'on lui imposât un horaire fixe; et, le matin, à neuf heures moins dix, ses voisins l'entendaient fermer sa porte avec soin, puis le voyaient (sur le trottoir où à ce moment même s'ouvraient les devantures odorantes du fruitier, du poissonnier, l'échoppe du cordonnier auvergnat) se diriger vers le presbytère, de son pas lourd, en tenant sous le bras un large volume relié de cuir, du format d'un cahier de comptable. Sur ces bases, nous édifiions un roman, tout en arpentant la Rép' sur les pas de quelque jolie fille: dans le cahier du jour, le Docteur recopiait (en gothique ou en ronde, nous n'en doutions pas) les passages qu'il avait soulignés la veille dans son livre du soir. Cette régularité d'horloge nous semblait convenir à ce que nous savions du personnage.

❏

À la fin de mes études, je quittai B***, sans regrets. Le hasard — ou ma chance — m'y ramena huit ans plus tard. Une chaire y était vacante à la faculté des lettres. J'avais posé ma candidature, et fus assez heureux pour obtenir ainsi, à trente ans, un premier poste me conférant une certaine autorité (du moins, je me le figurais) dans les domaines de l'enseignement et de la recherche.

Mon installation requit plusieurs mois. Des collègues se chargèrent de faciliter mon initiation aux intrigues locales et me signalèrent les susceptibilités à ne point froisser. Je louai une petite maison sur le quai. Le large fleuve sablonneux serpentait sous mes fenêtres entre ses îles saisonnières, couronnées d'osiers. Depuis les vacances de l'année précédente, je nourrissais des projets de mariage.

Ainsi passèrent très vite mes deux premiers trimestres. On touchait, début mai, à la période des examens quand je trouvai un matin dans mon courrier une lettre dont l'adresse calligraphiée frappa mon attention. J'ouvris l'enveloppe, dépliai la feuille; mon regard courut à la signature:

«Docteur T. Schneider»!

Un «Très respectueusement», vraiment incongru, la précédait.

Je gardai la lettre en main sans d'abord la lire. Je m'assis à mon bureau. Des souvenirs cocasses et heureux remontaient en vagues d'une mémoire encore fraîche, tout un pan de ce passé proche, déjà cuivré de ses reflets de légende. La Rép', maintenant crevée par le chantier du futur métro; le café de la Paix qui, après un changement de propriétaire, était devenu le premier *fast-food* ouvert dans la ville, bruyant éclaireur de la modernité; nos blagues d'étudiants, puériles et dont, pas assez distant peut-être, j'avais un peu honte…

Enfin, je lus.

Monsieur le Professeur,

Malgré la gêne que j'éprouve à vous rappeler (comme si vous les aviez oubliées!) nos longues conversations de jadis au café de la Paix, je me permets de le faire, dans l'espoir de susciter votre bienveillance, vu l'importance (à mes yeux) de ce dont j'ai à vous *parler*.

Il me serait en effet (pour cette raison même) difficile de m'exprimer par écrit; et j'ose vous demander par la présente la faveur d'un entretien, au jour et à l'heure qui vous conviendront. Je suis très libre depuis que le nouveau (et bien jeune, hélas!) curé de Sainte-Sabine a cru bon de renoncer à mes services.

La nouvelle de votre nomination m'a comblé de joie. Nos autorités ont, en ce cas, témoigné de plus de sagesse qu'on ne leur en concède en général. Je me joins à la foule qui (je n'en doute pas) s'est félicitée de leur choix.

Très respectueusement,

Que me voulait ce vieillard? De toute façon, il m'était impossible de ne pas le recevoir; je dus m'avouer que je ne le ferais pas sans plaisir. J'écrivis un billet fixant rendez-vous pour le jeudi suivant, en fin de journée, à mon bureau de la faculté: je multipliais ainsi les obstacles propres à décourager — sait-on jamais? — une démarche indiscrète.

Il faisait beau, ce jeudi-là, jour d'examen, et dès le matin, j'avais gardé ouverte la fenêtre du minable cagibi que l'université mettait à ma disposition pour y conserver quelques livres ou dossiers et y recevoir étudiants ou visiteurs. Une faible brise soufflait d'un jardin voisin le parfum des lilas. La fenêtre donnait sur une placette ramassée autour d'un arbre unique, filiforme — l'une de ces créations d'horticulteur, faussement exotiques et pourvues d'improbables noms latins —, dont l'ombre se déplaçait au gré des heures sur la pelouse comme celle du style d'un cadran solaire: double figure, de fluidité temporelle et d'éternité.

Je détachai mes yeux de cette image. «Il» était là.

Comme jadis à «la Paix», il boucha un instant l'embrasure de la porte, parut me contempler, mesurant peut-être le passage des années, puis sourit et, cérémonieusement, me salua.

Il avait à peine changé. Sa grosse moustache était toute blanche maintenant, un peu jaunie à l'ourlet des lèvres. Les cheveux aussi avaient blanchi, rares, collés en mèches à plat sur le crâne presque nu. L'homme entier, un peu voûté, mais propre et soigné comme toujours, exhalait une odeur de désolation.

Nous échangeâmes les banalités d'usage. Il avait, non sans hésitation, déposé sur une pile de livres son chapeau de feutre, et y passait un doigt caressant. Il toussota.

«Vous désiriez me parler, docteur Schneider?

— Vous êtes vraiment très aimable de…

— J'ai bonne mémoire, docteur Schneider. Mais à quoi dois-je le plaisir?…

— J'en viens aux faits.»

Il toussa encore. Le chemin des faits traçait un long détour. «Vous n'êtes certainement pas sans vous rappeler, disait le Docteur, le livre que parfois j'annotais au café; le cahier que j'apportais chaque jour au bureau de paroisse. Non, ne niez pas, je sais que vous en parliez entre vous, les jeunes, que vous vous amusiez du vieux maniaque! Eh bien, voilà!»

Il se pencha, en soufflant, tira de la serviette étalée sur ses genoux un cahier relié de cuir, que je reconnus.

«J'y ai travaillé plus de trente ans…»

Ayant prononcé cette phrase, il s'arrêta, comme épuisé, les yeux dans mes yeux. Il y avait autour des siens deux taches brunes d'insomnie. Il reprit:

«... mais j'y pense depuis plus longtemps: depuis mes années d'études...»

Il soufflait. Les mots semblaient s'extraire de lui avec peine.

«Je suis né dans une famille très pauvre, monsieur le professeur...

— Et ce travail?...

— Ce qui m'a bouleversé, dès l'âge de vingt ans, c'est que l'Histoire ne parle jamais des pauvres. Elle traite des rois, des héros, des inventeurs, jamais des pauvres. Jamais.

— Vous n'ignorez pas, docteur Schneider, qu'aujourd'hui plusieurs écoles de chercheurs à travers le monde s'intéressent à l'histoire des marginaux, des malades, des misérables, de tous les exclus... Des livres ont été publiés, dont certains remettent en cause la conception traditionnelle de nos études.»

Il m'entendait sans me suivre, refermé sur lui-même et, je n'en doutais pas, sur son obsession.

Il finit par émerger de ce silence.

«Mon dessein, je l'ai conçu il y a quarante, cinquante ans, monsieur le professeur! Vous n'avez pas connu... Je me suis alors juré de dénoncer et, si possible, de faire cesser une injustice!»

Ses yeux humides, à la pupille pailletée de jaune, de nouveau plongèrent dans les miens.

«Je ne me suis pas lancé au hasard, croyez-le bien, J'ai fait un plan, un plan à long terme. J'ai pris l'un après l'autre tous les manuels d'histoire en usage depuis le début de notre triste siècle dans les écoles et collèges d'Europe... enfin, des pays dont je peux lire la langue. De ces manuels, il y en a des dizaines, monsieur le professeur, des dizaines.»

Il souffla, toussa.

«J'en ai souligné en vert les rares phrases qu'ils consacrent aux pauvres; en rouge, celles où, à mon avis, ils auraient dû en parler.»

Que répliquer? Il n'avait rien compris; mais, d'une certaine façon, peu importait. Une émotion mêlée me touchait, faite de bienveillance impuissante et de compassion.

«Toutes ces phrases, je les ai recopiées dans le cahier que voici: le genre de cahier (notez-le bien!) qui se vend dans le commerce pour la tenue de comptabilité en partie double...»

Il sourit furtivement. Déjà il enchaînait:

«Les phrases vertes sur les pages de gauche; les rouges, à droite.»

La main se posa, bien ouverte, sur le cahier, tandis que claquait le dernier mot.

À la compassion se joignait en moi du respect. Le Docteur toussa, reprit, du ton sûr d'un croyant qui fait sa prière:

«Trente-deux ans, pour être exact. Mais c'en valait la peine. Voyez, monsieur le professeur; voyez vous-même! Les pages de gauche sont presque vides; quant à celles de droite...»

J'ouvris le cahier qu'il poussait vers moi. La reliure en était déjà tiédie par le soleil de printemps qui la baignait. J'abaissai le regard sur la page qui s'offrait à moi: une calligraphie digne d'un instituteur du siècle dernier, avec pleins et déliés parfaitement distincts, tracés, semblait-il, à la plume d'acier de nos grands-pères. Je dus faire un effort pour la lire, tant sa forme surprenait.

Rien d'autre ne retenait l'attention, dans cette accumulation de phrases plates, émaillées de termes vagues ou ampoulés. Je me troublai, évitai de relever les yeux, tournai des pages. Que penser? Que dire à ce brave homme? Qui fallait-il incriminer de cette ineptie:

la médiocrité des manuels ou l'inexpérience et l'aveu-
glement du compilateur? Quelle qu'ait été sans doute
la justesse de son idée première, le Docteur avait passé
trente-deux ans d'une solitude que j'imaginais terri-
fiante à chasser (comme un gibier de choix) la banalité et le lieu commun, et à débusquer des sous-
entendus probablement inexistants! J'étais atterré. Les
esclaves d'Aménophis, apprenait-on ainsi, avaient
construit les pyramides; ceux de Périclès, fabriqué la
grande Athènes; le reste à l'avenant. Que tirer de ce
fatras? Clovis et les malheureux Gallo-Romains, Charlemagne et les Saxons; les seigneurs féodaux et le
droit de cuissage... On descendait le cours des siècles. Je n'en étais, après vingt minutes, qu'au XIe. Je
tournais les pages avec une hâte croissante et la perception confuse d'un piège prêt à se refermer sur
moi.

Je repliai le cahier. Déjà le silence se tendait entre
nous quand nos voix se croisèrent, comme pour conju-
rer un sort:

«Eh bien?» demandait le Docteur; et moi, en
même temps: «Je vois.»

Il n'y avait rien d'autre à dire. Qu'attendait de
moi ce pauvre homme? D'un ton que je voulais amical, je questionnai:

«En somme, docteur Schneider, que puis-je faire
pour vous?»

Je crus qu'il allait parler. Son mouvement de
mâchoire mordit la lèvre inférieure. Son dentier glissa.
Une succion le remit en place, mais une épouvante
voilait le regard.

«J'ai fini le mois dernier: fini l'essentiel de mon
œuvre. Reste à lui donner forme, à la polir...»

Il allégea le ton, ajouta, comme un détail de bien
peu d'importance: «... à interpréter tous ces faits.»
Puis, il se tut, se râcla le gosier, et conclut:

«Ces derniers temps, j'ai travaillé six heures par jour.»

C'était un constat établi en toute objectivité. Mais la voix semblait implorer un pardon.

«Vous souhaitez mon avis, docteur Schneider?

— Certes. Et votre appui.

— Mon appui?

— Pendant trente-deux ans, j'ai travaillé tout seul, monsieur le professeur. Vous avez l'avantage de la jeunesse. Mais cet avantage même vous empêche de savoir combien c'est long, trente-deux années!

— Et que?...

— Vous êtes un savant, monsieur le professeur. Je ne le suis pas; ou plutôt, je n'ai pas encore le droit de prétendre l'être. Ce que je me permets de solliciter d'un homme tel que vous, c'est la confirmation de l'intérêt de...»

La voix hésita.

«... de ce qui fut le travail d'une vie.»

Il se redressa, me regarda en face, fixement. Du bout des doigts, il essuya les gouttelettes de sueur qui perlaient à son front. Puis il se pencha vers la table, y étendit ses grosses mains impuissantes.

«Oui, monsieur le professeur, ç'a été le projet d'une vie entière», dit-il sobrement, détaché de tout, bien au-delà des phrases qu'on pouvait inventer encore.

J'étais au pied du mur. Cet homme avait eu, depuis son enfance, un lourd compte à régler avec la vie. Il avait cru pouvoir, adulte, sans aide ni moyens que son courage, le solder. La sympathie m'imposait d'exprimer avec douceur et patience la seule chose qu'il me restât à lui dire.

«Le projet est plein d'intérêt, commençais-je, et répond, comme je vous le disais, à plusieurs de nos préoccupations actuelles. Mais un tel livre ne vaut que par l'analyse qu'il fournit ou, tout au moins, suggère.

Or, sur ce point, dans l'état présent de votre travail, on y observe une lacune regrettable... Pensez-y. Reprenez ces éléments et, sans rien sacrifier de leur complexité, coulez-en l'ensemble dans un moule, dans une idée...»

Je m'enferrais. J'étais cruel; je...

«... C'est aussi simple que ça, conclus-je.

— Rien n'est jamais simple, monsieur le professeur.»

La voix sortait de quel outre-monde? d'au-delà de quelles désillusions sans espoir?

«Il suffirait sans doute, assurai-je, de quelques lectures qui étofferaient vos propres conceptions. Je puis aisément, et avec le plus vif plaisir, vous faire établir une carte pour la bibliothèque universitaire...

— J'ai chez moi plus de mille volumes, choisis et achetés un à un.»

Il se levait, chapeau à la main.

«Je vous remercie, monsieur le professeur.

— Merci à vous de votre confiance. Et tenez-moi au courant.

— Je n'y manquerai pas, monsieur le professeur.»

Il se raidit, lourd, droit, presque beau. Ses yeux se portèrent sur le mur nu, au-dessus de moi. Lentement, avec une hauteur indifférente, ses lèvres formèrent un sourire forcé, puis les premiers mots d'un vers de Virgile: *Rursus in arma feror...*

«Me voici renvoyé dans la bataille», me disait-il. J'étais jeune. Il me fallut des années pour comprendre quel combat, quelle misère et quelle mort il évoquait ainsi.

❏

Le soleil était depuis longtemps couché. Une voix de rossignol emplissait la nuit, chantait la joie de la terre renaissante. Je rentrais sans hâte, le long du Mail puis du fleuve, espérant dissiper par cette promenade le trouble dans lequel m'avait laissé la visite du Docteur. Les bouquets d'arbres du parc se fondaient, à quelque distance, en masses obscures semblables aux ruines d'une ville abandonnée.

Je finis dans une brasserie du quai, n'ayant pas le cœur à regagner mon appartement. L'un de mes collègues y achevait son repas de célibataire, joyeux drille que j'avais connu étudiant, ici même. Je m'assis à sa table. Mon air absent l'intrigua. Je lui racontai… Il éclata de rire.

«Il t'a donc fait le coup à toi aussi!»

J'appris ainsi que, voilà trois ou quatre ans, le vieux Schneider avait entrepris une tournée des professeurs de notre faculté, tenant à tous le même discours, on ne savait trop dans quelle ultime intention. «Pour se maintenir en vie», supposait malicieusement mon collègue qui ajouta: «Tu dois être le douzième. Il lui en reste sept ou huit: sa démarche est sélective, et il a ses têtes!»

Je n'avais pas envie de m'en amuser, bus ma bière et rentrai chez moi.

Quelques jours plus tard, traversant la Place du marché, je vis de dos le Docteur. Il se tenait sur le trottoir, devant une porte close, cherchant de ses yeux myopes un nom sur le tableau des sonnettes. Sous le veston entrouvert, son large ventre pendait. Le corps semblait nager dans une substance invisible, la mélancolie ou la vieillesse. Le bras serrait fermement dans l'aisselle un épais cahier de cuir.

La rose

Sur le banc du boulevard, la femme tourna le dos à son compagnon, redressa le buste, éleva un petit sac à main à la hauteur de son visage et se mit à raviver le rouge de ses lèvres. L'homme l'agaçait, elle ne s'en cachait guère aux yeux des passants. La voix de l'homme, rauque et fêlée, s'écoulait dans le vide entre eux, intarissable. L'un de ces couples sans âge ni charme, vêtu de grisaille, avec l'air triste de deux êtres enchaînés, la semaine durant, à des boulots également imbéciles et qui se retrouvent à la sauvette, une heure, le vendredi soir après le bureau, à cause de leurs conjoints respectifs. Nous étions dimanche, et seule une chance inespérée leur permettait cette sortie...

«Tu fabules», me dit Aimée.

Elle rit.

Aimée et moi dégustions des glaces à la vanille achetées à un marchand ambulant, non loin de ce banc. Des jeunes gens en jeans et tee-shirts jouaient à se bousculer autour d'un châtaignier vénérable. Au-delà s'ouvrait la grille du Père-Lachaise.

Un mégot pendait en brûlassant des lèvres de l'homme. Au-dessus, l'œil pleurait. Mais peut-être pleurait-il pour une autre raison, que l'homme avait oubliée. Les lèvres tirèrent sur le mégot, l'homme

toussa. La toux, plutôt que d'interrompre son discours, ne fit qu'en broyer quelques phrases. L'homme
parlait de ce qu'il avait mangé la veille, mangerait le
lendemain, il avait une si bonne mémoire, il se rappe-
lait comment on était placé à table à son repas de fian-
çailles, ah s'il avait su! quand on est jeune on est trop
con, mais y en avait pas comme lui pour faire sauter
les andouillettes. On comprenait qu'il aimait goulû-
ment des choses molles.

Aimée m'entraînait. Son sourire engendre la
lumière. Le temps s'était couvert depuis deux jours,
mais la chaleur était bien celle d'une mi-août. Derrière nous, une bande étroite, d'un bleu intense, traversait le ciel. Ailleurs, des nuées s'effilochaient, très
haut, fuyaient sous un vent qu'à ras du sol on ne percevait pas, mais leur débandade se dessinait sur un
fond uniforme, ouateux et blanc. Une ambiguïté sub-
tile baignait les choses et nous.

À la boutique de l'entrée, comme on fait un geste
amical et familier, j'achetai le plan du cimetière.
J'aime errer dans le dédale des avenues en tenant à la
main cette Carte du Tendre où le nom des lieux est celui de nos morts. Deux ou trois fois par an, il nous arrive ainsi, d'un mouvement spontané et commun, de
consacrer un après-midi à cette promenade dans le
plus serein et le plus mystérieux des jardins de Paris.
En toute saison nous plaisent la beauté de cet espace,
les secrets qu'il dissimule, le site d'une nature où les
arbres tirent leur splendeur, on l'imagine avec atten-
drissement, de tant de corps humains décomposés.

L'allée principale vous happe d'emblée, entre ses
deux rangées de pins et ses bas-côtés pavés. Vous voici
propulsés bien droit dans un autre monde. Pourtant,
tout y ménage les sensibilités ordinaires, y désarme
l'inattendu: çà et là une poubelle accueille vos papiers
gras, des jardiniers pilotent leurs voiturettes électri-

ques, au robinet d'une borne hydraulique, un enfant et une femme en robe claire, chargés d'arroser les fleurs d'une tombe voisine, emplissent une bouteille de plastique étiquetée «Eau d'Évian». Mais déjà l'on tourne à droite, vers l'ancien cimetière juif. Silence, que creuse tout à coup (sur le fond continu mais étouffé du trafic) l'éclat d'un klaxon, d'une sirène jailli de la ville. Un avion vrombit faiblement, de plus en plus lointain, au sein des nuages qui nous le cèlent. Des Japonais recueillis photographient.

Je sens sur mon bras, contre moi, le poids chaleureux d'Aimée. Elle, d'ordinaire si soucieuse de l'autonomie de ses gestes, semble y renoncer un instant, peut-être aspire-t-elle furtivement au repos de qui s'abandonne au courant des jours. De l'un à l'autre de nos corps circule cet échange irremplaçable et sans nom: cela même que je ne possède pas, je te le donne, et nos manques se transmuent en inépuisable acquis, perception merveilleuse et fragile. Cette chapelle blanche, le tombeau trop pur entre ses grêles colonnes: première halte, devenue pour nous rituelle depuis que j'ai publié mon livre sur Abélard et Héloïse. Par-dessus la balustrade qui ceint le monument, des inconnus chaque jour jettent quelques fleurs. Malheureux amants dont la légende inspira le siècle romantique et dont l'histoire peut émouvoir encore. Mais la légende et l'histoire ne font que masquer ce qui fut, et le sentiment que j'éprouve ajoute au déguisement sa propre couche. Pauvre génial Abélard; tragique et vaillante Héloïse qui, à vingt ans, jouait au troubadour et, à trente, à l'héroïne antique: masque sur le masque sur le masque sur le… Vous ne vous appartenez plus l'un et l'autre, l'un à l'autre, tombés depuis tant de siècles dans le domaine public, livrés sans défense aux témoignages que, tour à tour, historiens ou poètes, nous avons portés de vous, fouillant ce passé comme d'autres balisent l'espace, en un effort pathétique et inutile pour inventorier ce qui nous a faits, ce par quoi peut-être notre aventure est autre chose qu'un hasard.

En face de nous, une très jeune fille s'est approchée sans bruit de la balustrade et contemple, immobile, gravement, la tombe. Des grands yeux patients rayonne une confiance. Seize ans, dix-sept? Elle s'offre; sans le savoir, elle offre à l'univers sa beauté encore immature, ébauchée, et qui nous touche au cœur. De quel espoir demande-t-elle à ces grands morts d'être les garants? Elle se redresse, nous voit, nous sourit. Et soudain, le miracle se produit: oui, elle est belle, elle est Forme parfaite, éblouissante et sereine, unique au centre de ce monde boiteux et sans grâce!

La main d'Aimée presse mon bras. À son tour elle sourit. Puis (le visage tendu vers l'avenue, à cet instant déserte et qui s'incurve, à vingt pas d'ici, par-delà quelques tombes), elle met un doigt sur ses lèvres et me fait signe. Un homme de haute taille, strictement vêtu d'un complet de bonne coupe, s'avance, au milieu de la chaussée, d'un pas régulier, souple et très jeune, une rose à la main. Son regard semble se concentrer sur cette fleur, indifférent à ce qui n'est pas elle.

❑

Nous atteignons la division 11, où Chopin voisine pour l'éternité avec Cherubini et Boieldieu. Mais, sans nous engager dans le chemin, nous poursuivons jusqu'au Grand Rond. Le temps invite au loisir. La plage bleue a gagné la moitié du ciel. Le soleil, encore caché, enflamme déjà l'extrême bord des nuages à notre gauche. Un charme au tronc massif élève au-devant de cette chaleur désirée la grosse boule vert sombre de son feuillage. Au-dessus de nous, à flanc de colline, de grands marronniers s'apprêtent à répandre leur ombre sur le foisonnement des monuments et des chapelles qui, vus d'ici, dans cette clarté incertaine, paraissent uniformément faits de pierre grise. Sur la pelouse, des jeunes gens se sont étendus, débraillés mais respectueux du silence. Des gobelets de carton emplissent une poubelle. Un garçon et une fille, assis par terre à l'écart, regardent devant eux le vide. Deux autres, blottis côte à côte, ont oublié ce vide même. Des moineaux s'abreuvent au bassin, puis s'envolent en se querellant. Des promeneurs s'arrêtent, se cherchent une place sur un banc, déploient leur plan, y suivent du doigt un itinéraire. Au faîte d'un tombeau roucoule une colombe.

Tombes pour nous anonymes. «Famille Dupuis», «Bouchard frères». Peint en grosses lettres sur une planche: «Caveau provisoire». Une photo enchâssée dans la pierre montre un banal visage de femme, lisse, froid, sans souvenirs. «À maman». Urnes, colonnes verdies de mousse. Il semble que les rumeurs se soient tues. De façon à peine audible, Aimée prononce parfois, pour elle-même, l'un de ces noms que nos yeux lisent ensemble. Çà et là subsiste du dernier orage une flaque au creux d'une dalle effondrée et noire entre des grilles rouillées. Sous nos pas, le sentier monte parmi les ormes déployés où s'immisce maintenant la lumière, les érables aux troncs rosés, les platanes rayonnants à l'écorce squameuse. Je souffle, m'arrête un instant. Les monuments se pressent sur la pente, s'entassent en perspective à la manière d'une ville médiévale considérée du sommet qui la domine; mais la magnificence et la variété des arbres la protègent et l'isolent, intacte, inaccessible, immémoriale. Inhumaine? Une autre humanité y germe peut-être, inimaginable. Division 18, Champollion et ses égypteries, division 19, Jane Avril («Qui c'est?» chuchote Aimée à mon flanc), 50, Schœlcher par qui l'on feignit de croire (tant cela les arrangeait tous) à jamais aboli l'esclavage. Division 51. Le ciseau sans goût d'un fabricant de tombes a couronné le fût de colonne d'un buste étriqué, représentant sous le képi et la vareuse un jeune officier aux trois galons bien discernables. Cette laideur modeste émeut plus qu'elle n'afflige. Là-bas une femme en grand deuil sanglote, mord son mouchoir tordu en corde, livrée entière à sa douleur ostentatoire et frustrée, au large de laquelle nous passons, insensibles.

«Ici repose le chevalier Tristan de Crèvecœur, mort dans sa trente-cinquième année. 1826-1861. Priez pour lui.»

«Tristan de Crèvecœur!» répète Aimée. Sa rêverie évoque Iseut et le roi Marc, Tristan et la voile noire, amour et mort et, de la cruelle légende jusqu'à nous, tant de siècles perdus. Le poids sur mon bras s'accentue. La bouche se tend à mon oreille:

«Je suis heureuse...»

Que veut-elle dire? Sa voix tremble un peu. Quel seuil peut-être avons-nous, l'un appuyant l'autre, franchi?

«Moi aussi, je suis heureux.»

Le suis-je vraiment sans réserve?

Nous traversons une avenue pavée. Une large plaque étalée sur un caveau familial énumère, noms et dates, les générations qu'elle recouvre. Voici clairement conféré à ces défunts leur statut social de morts. Est-ce donc là l'Histoire, réduite à son essence, décrassée de ses approximations et de ses repentirs? Alors, à nous, que reste-t-il de possible? Ni meilleurs ni pires que les anciens ainsi gravés dans le bronze, nous demeurons de ce côté-ci des choses, avec nos outrances et nos faux problèmes. Eux sont devenus sages et muets.

Le ciel entier s'est découvert. La terre s'immerge dans ce bleu lustral, profond et doux. Aimée s'est accroupie, redresse sur une tombe un vase renversé, en rassemble les fleurs d'un geste harmonieux et précis, comme seule sait en avoir une femme parmi les objets familiers. Le rayon de soleil joue dans les cheveux, sur la nuque, sur le vert de la jupe. La joie me saisit, de tant de légèreté au monde, de cette intensité qui nous permet de vivre.

Tandis que le chemin tourne à notre droite, le jeune homme à la rose arrive de la gauche à notre hauteur. Il nous remarque, ralentit un instant sa marche mais en reprend le cours, très droit, la rose fichée verticalement dans le poing qui étreint la tige à travers une boule d'ouate humide. Des gouttes d'eau suintent. La rose est pourpre. La corolle s'en incline à peine. Le geste de celui qui la porte a la gaucherie que provoque le contact d'un objet sacré. Fascinés, nous observons ce rite. Un fou? «Non», murmure Aimée, qui a lu ma pensée. Le jeune homme (il peut avoir vingt ans) est grand, d'un blond à reflets châtains, le costume bleu marine tiré à quatre épingles. Le visage reste impassible et froid. Le regard humide ne l'anime en rien.

Un essaim de fidèles s'agglutine autour du monceau de fleurs jeté sur le tombeau du mage Allan Kardec, dont une inscription nous enseigne que dans une vie antérieure il fut druide gaulois. Les visages tendus, les regards allumés espèrent-ils quelque révélation tardive? Le jeune homme à la rose n'en a cure. Il marche vers un but, n'importe où. Ou bien n'a-t-il pas de but?

Aimée se détourne. Quelque chose en elle redoute de savoir. Tandis que s'éloigne le jeune homme à la rose, elle s'attarde (pourtant je l'y sais indifférente) aux abords du théâtral sarcophage de Sarah Bernhardt. Tous les styles s'affrontent dans cette cité des ombres, et tous sont faux, grec ou gothique et les temples d'amour aux chérubins de marbre blanc, au point d'engendrer une vérité autre, à l'ordre de laquelle nous n'appartenons pas.

Le jeune homme et sa rose ont disparu derrière un épais tilleul, au carrefour, là-bas, vers la pelouse où l'on érigea, en toute candide conscience, la statue du Bon Berger. Aimée pas plus que moi ne goûte l'allégorie. Tournons plutôt vers le Victor Noir de bronze, étendu de tout son long sur la dalle et que sa profession, sinon l'occasion de sa mort, nous rend (imaginons-nous) plus réel et plus proche; vers Édith Piaf, qui fut si menue, emprisonnée de pierre luisante et sombre sous le Christ de métal et sa jonchée florale constamment renouvelée, tandis que cliquette la caméra d'un touriste.

❏

«Il a disparu...»

Une pointe d'inquiétude perce dans les mots d'Aimée. Nous avons franchi la crête de la colline. Le terrain s'incline en forte pente vers le sud et sa lumière, au-delà d'un bouquet de frênes.

«Je parie qu'il...»

La phrase reste suspendue. Il est évident que je ne prête pas l'oreille. La voix d'Aimée la renoue, plus grave:

«Est-ce un deuil, l'anniversaire d'une mort, un mal d'amour, ou bien un banal rendez-vous manqué?»

Le cœur n'est pas à la plaisanterie. Pour moi, avec la sagesse de qui préfère ne pas trop s'engager dans le problème (car je ne doute pas que c'en soit un), je me prends à songer mollement au contraste exemplaire dont cet étranger nous offre l'élégant spectacle, entre la longueur de l'itinéraire qu'il s'impose et la brièveté des roses, si souvent célébrée par les poètes! Je regarde le regard d'Aimée; elle, le mien. Chacun à notre manière, nous sommes préoccupés. Une urgence, aux causes confuses, commence à nous presser. L'étranger résorbe en sa figure toute autre présence. Sa marche, pour aléatoire qu'elle paraisse, confère à ce paysage désordonné une netteté rigoureuse. Autour de lui, le fourmillement de ces tombes si diverses et mal accordées se transforme en surgissement unanime, les dalles vont se soulever ensemble tout à coup, nous sommes à la veille du Jugement dernier tel que l'ont décrit les anciens peintres.

Un vieillard à genoux sur une dalle la récure avec énergie. Le produit abrasif qu'il emploie mousse puis s'étale sous l'éponge, la pierre où il a passé rosit. L'homme a suspendu sa veste au crucifix qui le domine et qui préside à ce labeur. Des taches de sueur trempent les aisselles de la chemise. La femme, à côté, empaquetée de tissu violacé, sous un chapeau de plage, tourne les yeux vers cette tombe, mais ne regarde rien. Elle pleure, sans faire un geste, laisse couler librement ses larmes dans les rides des joues. Elle est un enfant perdu au milieu de la foule. Peut-être ses larmes vont-elles la sauver? Un tremblement agite ses lèvres. Elle balbutie, sans que l'on perçoive aucun son, elle parle pour elle seule, sans voix, elle répond aux questions que personne jamais ne lui a posées.

Promeneurs et visiteurs sont moins nombreux. Un désir diffus, sans objet déterminable, se répand dans cette demi-solitude où nous nous complaisons. Le Mur des Fédérés ressemble à celui d'un jardinet de banlieue, couronné de lierre ou de tessons: héroïque familiarité de l'épopée, d'autant plus bouleversante que le langage s'en fait plus humble. Dans l'un des frênes, des oiseaux jubilent. Sans doute ressentent-ils déjà la très lointaine approche du soir et de sa parfaite limpidité. Le ciel semble vouloir montrer aux hommes que, malgré tout, il les aime.

«On aimerait, dit Aimée, lui demander ce qui lui fait si mal.»

D'un hochement de tête, je signifie que je comprends et approuve. Souvent, les paroles d'Aimée donnent ainsi forme à ce que je vis de manière indistincte. Sur l'étranger à la rose pèse l'ombre incertaine de quelle faute involontaire, de quelle innocence sacrifiée? Nous remontons au monument des Républicains de la guerre d'Espagne; à celui de Ravensbrück qui nous tend ses deux mains enchaînées; Neuengamme, à figure de sphynx; statue torturée contre la stèle commémorative de Mauthausen. Où subsiste en effet l'innocence?

L'immense cimetière est presque vide. L'air allégé y porte mieux les voix. Il sera temps bientôt de rentrer, et nous sommes ici à l'extrémité de notre course: au-delà de ce mur reprend la ville.

Division 94, 93. Avenue 3. D'un sentier latéral, venu de la 92, l'étranger se heurte presque à nous, s'arrête, nous contemple, moins indifférent que distrait et comme égaré. La rose, dans le poing, au sommet de sa tige, s'incline un peu plus.

Il s'éloigne.

Il nous abandonne au désarroi qu'a engendré sa brève présence. L'harmonie s'est rompue; fêlée, notre joie. Une inquiétude diffuse nous endolorit. J'essaie en vain de la juger dérisoire.

À cent mètres, la haute silhouette, bleue et droite, nimbée à contre-jour d'une mandorle de lumière, s'engage dans l'avenue de cyprès qui mène au colombarium. C'est un lieu que nous évitons d'ordinaire, sous le prétexte de sa laideur. Mais voici maintenant qu'une force nous y pousse, mêlée de curiosité et peut-être, tout au fond, d'effroi.

Nous nous taisons. Une incertitude embrume
alentour de nous les choses, comme si elle rayonnait
de notre cœur même, peuplée d'images fragmentai-
res, pas nées, remontant en nous d'une époque où
l'être hésitait encore à vivre.

❏

Le bâtiment qui clôt la place fut-il destiné, dans
l'intention de ses constructeurs, à rappeler un cloître
et sa sérénité, ou bien l'un de ces charniers propres
aux cimetières médiévaux et où, pour récupérer l'espace des tombes trop anciennes, on empilait les débris
d'ossements en l'attente de la Résurrection promise?
Charnier des Innocents hanté par François Villon, celui naguère encore de tel village suisse comme Allsch-
wil. L'ambiguïté du message ne peut qu'être voulue.
Sous l'abri des arcades, douze étages de petites niches
numérotées, fermées d'une plaque noire ou blanche,
cachent, on le pense, le peu de cendre subsistant des
défunts incinérés. Parfaite nudité. Ordre. Cartothèque
éternisée. Manifestation de rien. Haies de buis serré.
Parterre de fleurs. La luminosité du ciel au-dessus de
tout, et ce frémissement de nos cœurs.
    Personne que nous. Aimée regarde autour d'elle,
cherche des yeux. Un jardinier solitaire arrose un massif de chrysanthèmes. La lourde grille est ouverte sur
l'escalier plongeant, du centre de la place, vers les ténèbres des salles souterraines.
    Nous hésitons à peine.
    La main d'Aimée tient la mienne. Une fraîcheur
s'exhale de la profondeur, dans le demi-jour qui s'af-
faiblit. L'œil s'adapte à l'obscurité que de rares lumi-
naires ne suffisent pas à dissiper. Dalles noires.
Niches identiques, par centaines, par milliers peut-
être, foule confondue: ce sont Eux; ceux qui ne di-

sent plus Nous, mais nous ont délégué la charge de vivre.

Une faible lampe éclaire la plaque blanche portant les initiales M. C., que surmonte un numéro. 16258: le regard aigu d'Aimée l'a déchiffré. Elle dit:

«C'est la Callas!»

Une double griffe attache à la plaque un vase minuscule, pas plus long ni plus large qu'un index où seule une fleurette tiendrait à l'aise.

Pourtant, le rose pourpre est là, à l'extrémité de sa tige, que des doigts malhabiles ont repliée pour l'y forcer.

C'est elle! Nous le sentons, nous le savons de science sûre.

Nous baissons les yeux et reculons sans bruit.

De la rose, un pétale se détache et tombe.

Dehors, le soleil est d'un rouge orangé dans le feuillage du grand tilleul. Le monde est plein. Plus rien d'autre jamais n'y trouvera place. Nous descendons la colline d'un pas plus vif. Nos bras se touchent. Là-bas, par-delà ces murs, il y a dans la ville des couples heureux, marchant côte à côte sur les trottoirs, assis aux terrasses des cafés ou sur les bancs d'un jardin public, partout, partout sur la terre vivante il y en a...

L'inconnue

Voici bientôt dix ans que j'habite rue Notre-Dame. À l'époque où je m'y fixai, on pouvait encore y louer, pour un prix modique, des appartements plus ou moins dégradés mais aux murs de forte pierre, toujours spacieux sous leurs hauts plafonds. Je nichais au troisième étage d'un ancien immeuble, cinq pièces dont trois en façade: un univers, pour moi qui vis seul; séparé des gratte-ciel du centre par le fossé profond de l'autoroute semi-souterraine qui traverse Montréal; mais à un quart d'heure de marche des gargotes chinoises de la rue de la Gauchetière, à trente minutes de la rue Sainte-Catherine et de ses vitrines. Mes fenêtres — vastes baies occupant un côté entier de chaque chambre — s'ouvraient avidement sur le monde.

Je m'y plaisais. J'avais empli les deux pièces centrales des livres hérités de mon oncle et installé ma chambre à coucher au bout de leur enfilade.

Mes promenades matinales m'emmenaient en zigzag, par la rue de Brésolles et le cours Le Royer, jusqu'à Pointe-à-Callière et au Vieux Port, que la municipalité a depuis lors rendu à l'usage public en y aménageant, à la marge majestueuse du fleuve, une agréable promenade. Je remontais par l'ouest, flânant aux alentours de l'église Notre-Dame où à cette heure, pendant la saison chaude, des cars de touristes déchargeaient les premiers arrivages; ou bien par l'est, à travers les ruelles qui courent autour de la place Jacques-Cartier et dont les pierres grises conservent les restes ultimes de la bourgade primitive. Un peu plus tard, la circulation s'intensifiait, de jeunes messieurs cravatés, ayant enfin repéré les trois mètres de chaussée où garer leur voiture, se hâtaient, la main à l'attaché-case, vers la Banque Royale ou la ruche cubique de la New York Life Insurance Company.

La lumière, aux beaux jours, pénétrait mon espace, exposé au sud-est. Dans mon désir de capter les moindres clartés, je m'étais abstenu de fixer des rideaux ailleurs qu'à la chambre à coucher. Ma vue plongeait, de l'autre côté de cette rue assez étroite, dans un appartement disposé (autant qu'on pouvait voir) selon le même plan que le mien et aussi largement ouvert. Une entreprise d'import-export l'occupait, m'apprenait une plaque de cuivre flanquant la porte sur la rue; et il m'arriva de me demander quelle était la nature véritable de son commerce. Deux ou trois employées semblaient y tuer le temps devant leur ordinateur. Quelques tables et chaises, des ballots entassés: rien. À cinq heures de l'après-midi, tout fermait jusqu'au lendemain. Les lumières de la rue, la lune quand elle était claire, éveillaient des reflets mouvants dans les fenêtres assombries. Au-dessous, autres bureaux; en bas, le magasin d'un modeste bijoutier dont les présentoirs offraient à une clientèle d'étrangers peu fortunés un assortiment de «souvenirs» plus laids les uns que les autres, des montres de marques incertaines et quelques menus objets d'or. Au-dessus, il était rare que s'allumât une lampe: au quatrième et dernier étage habitait l'un de mes anciens camarades de collège, avec qui je gardais de vagues et épisodiques relations, «homme d'affaires», assurait-il, grand voyageur, jamais chez lui, du reste inintelligent et vantard, peu fréquentable.

Pâques tombait, cette année-là, vers la mi-avril. J'avais accepté l'invitation de Geneviève, amie très chère, qui possède un petit chalet dans les Laurentides. Nous y passâmes quatre ou cinq jours, détendus et sans doute heureux. Geneviève sait tout faire, aussi parfaite dans la tenue de sa maison, l'accomplissement de ses devoirs mondains que dans l'amour. En même temps, d'apparence désinvolte, imprévue, pleine d'entrain: séduisante... fatigante aussi, à certaines heures, par excès d'efficacité joyeuse. Je préfère en elle les rares instants où soudain son énergie semble céder: instants pour moi d'intensité muette, les regards se saisissent l'un l'autre, jamais plus le mien ne lâchera ce beau visage lisse et clos.

Pour la première fois, nous avions parlé mariage. Entre les branches, en face de nous, au crépuscule, le lac virait au bleu cru. Des coulées de neige fondaient en boue épaisse dans le bois. Les premiers bourgeons perçaient les ramures, en pointes violacées et gluantes. Peut-être le soleil de ces journées trompait-il les plantes, entretenait leur illusion d'un printemps éternel, semblable à celle que nourrit notre espérance. Ou bien, avant l'aube, une bruine s'élevait de la rive, parmi les roux, les ocres, les bruns mouillés. Là-bas, un grand héron dormait, immobile sur sa patte frêle.

Je revins à Montréal un jeudi, dînai en ville et regagnai la rue Notre-Dame à la nuit close. De la maison d'en face je remarquai en passant que la plaque de cuivre avait été retirée. J'allais au-devant d'une surprise et goûtais déjà mon étonnement.

Sans allumer la lampe, je me postai à la fenêtre obscure de mon bureau. En face, les trois pièces étaient éclairées. On y voyait des meubles alignés le long des murs, des cartons encore ficelés, un tapis roulé en travers de l'espace central. Seule la fenêtre située à la hauteur de ma chambre à coucher avait été pourvue d'un rideau. Une femme s'en approcha, un bras tira, le rideau s'étendit, obstruant la vue. Mais la femme avait franchi un seuil, elle réapparaissait, enveloppée d'une robe de chambre bleue dont le revers de dentelle encadrait joliment le cou dégagé et fin. La femme s'affairait à déballer le contenu d'un carton, vaisselle ou bibelots. Elle avait des gestes vifs et jeunes. Un gros chat noir se frottait à son mollet. Soudain, j'eus honte de mon indiscrétion et me retirai.

❑

Je tenais alors, irrégulièrement, ce que je nommais, non sans prétention, mon Journal. J'en feuillette les pages, recueille çà et là quelques notations, comme des souvenirs discontinus.

11 mai — Elle est là depuis trois ou quatre semaines. J'ignore son nom. Il figure sans doute sur la porte d'entrée de l'immeuble ou sur l'une des boîtes aux lettres. Qu'est-ce qui me retient d'y aller voir? Sous mes yeux (le sait-elle?), elle va et vient, de son pas précis et rapide, en balançant légèrement les épaules. Elle vit seule. Jamais, du moins jusqu'ici, je ne lui ai observé de visiteur. Son chat, en revanche, ne cesse de manifester sa présence: il passe des heures à dormir ou à rêvasser, allongé sur l'appui de la fenêtre. Il règne sur les lieux. Le corps soudain se rassemble, bondit dans la direction d'un bahut, au sommet duquel je le vois promener avec souplesse et solennité sa somptueuse fourrure.

L'inconnue disparaît souvent dans les arrières de son appartement. Il me semble avoir entrevu, par deux portes ouvertes, une pièce où des pots, des boîtes ou de petits objets empaquetés et disposés en rangs serrés occupent plusieurs rayonnages. Un atelier? Je me reproche cette curiosité, et pourtant m'en défends mal, puis me pose des questions sur ce que j'ai vu. Je m'applique à en faire un amusement.

Elle chante. Les fenêtres closes, la largeur de la rue: je n'entends rien. Mais l'attitude ne peut mentir. Je vois les lèvres ouvertes et vibrantes, la tête renversée comme pour accompagner les notes qui montent là-haut. Puis le buste se détend, regagne son espace propre et, dans mon regard, le silence emplit la pièce, à la faire éclater.

15 mai — Quel est son métier? Quels sont ses horaires? Elle semble peu sortir; mais je ne peux ni ne veux employer mes jours à la guetter. J'ai poussé ma table de travail devant la fenêtre. Je n'en suis pas moins trop occupé pour jouer au voyeur. Mon livre avance mal. J'ai encore déchiré ce matin les quatre pages écrites hier.

Au moment où je procédais à cette exécution (je me sentais d'humeur exécrable), l'inconnue était en train de téléphoner. L'appareil est pourvu d'un fil assez long pour lui permettre de se déplacer en parlant. Sa main gauche paraissait scander son discours, la bouche parlait, parlait... plus que de raison, ne pouvais-je m'empêcher de penser, mais je refoulais cette idée de volubilité futile, préférant supposer quelque troublant mystère. Le chat, assis au centre de la table, tête haute, la contemplait avec intérêt et soupçon.

22 mai — Elle aussi, évidemment, me voit, et (j'aime à le supposer) avec une gêne égale à la mienne. Quand il arrive que nos regards se croisent, d'un même mouvement nous les détournons. Hier pourtant un sourire l'éclaira brièvement, avant de s'évanouir comme une illusion d'optique. Le temps était beau; l'air, tiède. Côté cour, des colonies de moineaux pépiaient sur les gouttières et les fils du téléphone.

Je me dis: Elle est vraiment jolie. Mais quelles raisons m'inspirent cette assurance? Je les perçois mal, ou les embrouille. Douze ou quinze mètres nous séparent. Qu'est-ce donc qui me séduit? La limpide clarté du front, la haute courbe des joues, l'harmonie de la silhouette? ou cette féminité sans réserve qui semble rayonner du regard et des gestes?

23 mai — Ce soir, nous nous sommes rencontrés dans la rue pour la première fois. Je rentrais de mon cours; elle sortait, en tenue de ville; un élégant foulard de soie, rouge et or, bouffait dans l'ouverture et le col du manteau. Je marchais sur son trottoir et m'apprêtais à traverser quand elle surgit. Furtivement, nos regards se heurtèrent. Chacun d'eux signifiait: «Je vous reconnais.» Cependant, nous ne nous sommes pas même salués. Prononcer une parole eût été impossible. Pourquoi, je ne sais, et elle sans doute ne le sait pas davantage. Simplement impossible. De près, son visage m'a paru rieur, léger, aimable. J'ai traversé la chaussée. Dans l'ombre déjà opaque que formait le porche, un très jeune couple se pressait avidement. Les lèvres de la fille baisaient cette bouche comme pour y boire.

21 juin — Passé un long week-end dans les Laurentides. Temps superbe, après une semaine de pluie. Du sol spongieux de la forêt, des talus longeant le chemin, émergeaient, au travers de la couche pourrie des feuilles mortes, des pointes bleues de véroniques, çà et là une corolle touffue de chicorée sauvage. J'enseignais leurs noms à Geneviève, peu soucieuse de botanique. Elle se mit à parler d'appartements... Ah oui? Une fois mariés, voyons! Des appartements, elle en avait déjà visité plusieurs: elle se chargeait volontiers, disait-elle en souriant, de la présélection, sachant combien, avec ce livre à finir, j'avais peu de temps libre. Je n'aurai plus ensuite qu'à... J'ai promis de songer à ce grand projet. Geneviève a dit qu'elle était heureuse. Pourtant, elle n'a pu cacher entièrement sa déception. Je l'ai embrassée avec tendresse.

Il a fait aujourd'hui une chaleur lourde, sous le poids de laquelle la ville semblait vivre au ralenti. J'ai tenté, comme bien d'autres, d'aller respirer un air plus frais parmi les chênes du mont Royal où le sousbois laisse heureusement subsister des fourrés d'herbes folles, trèfle blanc ou matricaire, des tiges velues de pieds-de-lièvre, des grappes mauves de jargeau. J'adore errer, seul avec mes pensées, dans ces coins d'où émane au soleil une senteur poivrée, comme un encens timide.

28 juillet — Je rentre de Vancouver, où j'ai dû me rendre pour une quinzaine, à l'invitation du Conseil des Arts. La nuit tombe. Toutes les fenêtres de la rue sont ouvertes. Les radios y déversent leur rumeur. Parfois un cri semble en jaillir; ou bien l'oreille anesthésiée perçoit, durant une fraction de seconde, autre chose, une voix irritée d'enfant ou un claquement de talons sur le trottoir. La sirène d'un bateau lance sa longue plainte colérique sur le fleuve.

Impossible de travailler. Pourtant mon manuscrit est presque achevé. J'essaie en vain de lire, me lève, me mets à marcher dans cette pièce que je nomme mon bureau. Soudain je m'y sens agressé par le désordre qui y règne, ces monceaux de papiers d'utilité improbable, répandus çà et là sur les meubles, ces cahiers de notes abandonnés parmi les livres, et ceux-ci jamais classés, sur les chaises, les rayonnages, par terre, la corbeille débordant de pages chiffonnées... Je m'arrête, m'appuie un instant au chambranle, regarde. Chez l'inconnue, tout est propre et net, un presse-papier maintient sagement sur la table un bloc de feuilles blanches. Le presse-papier a l'air d'un de ces beaux objets de pierre grise que l'on vend dans les magasins d'art inuit.

Soudain, une forme traverse mon champ de vision. L'inconnue est en train de se laver les dents en allant et venant d'une pièce à l'autre. J'ai la même habitude. Voici que j'en prends honte. Le manche de la brosse sort de sa bouche, comme il doit le faire de la mienne: le visage entier s'en trouve ravagé de grimaces. Je veillerai désormais à rester, pour cette opération, enfermé dans la salle de bains.

2 août — L'inconnue a poussé une table contre la fenêtre. Une lampe de bureau l'éclaire de biais. Elle se penche. Elle tient à la main un objet que d'abord je ne discerne pas. Dans le cône de lumière son visage ressemble à celui de la Sibylle, tel que l'ont représenté les anciens peintres. L'objet est un crayon ou un stylo. Elle écrit. Ses cheveux sombres paraissent noirs, avec des reflets moirés. Elle y passe la main. Elle a de longues mains. Le doigt descend à la bouche. La bouche ronge l'ongle.

L'inconnue sourit dans le vide, reprend la plume. J'imagine qu'elle écrit une lettre. Je puis même, dans la souveraine liberté de mon ignorance, rêver que c'est à moi qu'elle s'adresse à travers le silence ouaté qui nous sépare en nous unissant!

8 août — L'épicerie, au coin de la rue, est de celles qui restent ouvertes le dimanche. J'apprécie peu les produits qu'elle offre et me fournis, les jours ouvrables, plus loin et plus cher. Je ne puis néanmoins dédaigner la commodité qu'elle constitue. C'est ainsi que, hier dimanche, je suis descendu acheter un paquet de biscottes. Et ne voilà-t-il pas qu'au moment de payer l'idée m'est, pour la première fois, venue: l'inconnue aussi doit se servir ici de temps à autre. Le hasard seul fait que je ne l'y ai pas encore rencontrée... J'échangeai quelques plaisanteries avec l'épicier, un Italien hilare et sympathique, et me retournai, mon paquet à la main.

Elle entrait!

Elle a rougi, m'a-t-il semblé. Sans doute à cause de sa coiffure bâclée, de son visage non fardé, du vieux jean qu'elle portait. Je m'esquivai. J'éprouvais le sentiment d'avoir, par effraction involontaire, pénétré sans droit dans sa vie... à moins que ce ne fût l'inverse. Une légère griserie émanait de cette constatation.

3 septembre — Longuement évoqué avec Geneviève (devrais-je écrire: sur son injonction?) notre futur mobilier. Ce genre de conversation m'irrite. Je m'interdis, par bienveillance, de manifester mon manque d'intérêt. Mais la bienveillance s'affiche à tel point que l'autre s'en trouve doublement offensée! Avec une patience touchante et beaucoup d'affection, Geneviève tente d'atténuer ma mauvaise conscience. Je prends sa main et y dépose un baiser.

Mon livre est enfin sous presse. Mais j'ai accumulé de tels retards, laissé traîner tant d'autres travaux que je ne puis m'accorder la moindre relâche. Pourtant, je me secoue: en vain. Me voici devant ma table. De l'autre côté de la rue, celle de l'inconnue. Le stylo m'a glissé des doigts. Un instant, j'ai regardé mes deux mains, retournées à plat sur le papier blanc, semblables à deux petits animaux morts, le ventre en l'air. Puis la cloche de Notre-Dame a tinté, au fond de l'air tiède souillé d'odeurs âcres soufflées des quais par la brise du soir. L'inconnue vient d'allumer sa lampe.

4 octobre — L'automne est de toute beauté. Parmi la rouille des arbres, au flanc de la montagne, subsiste çà et là une tache de vert intense, clair ou foncé selon l'espèce, avec des branchages lie-de-vin et toutes les nuances du cuivre. Au-dessus des sentiers, des feuilles tourbillonnent, frémissent au vent léger, leur chute est une vibration lumineuse. Ç'a été une longue promenade attentive; Geneviève s'appuyait à mon bras, gaie comme une enfant. Elle propose de fixer au printemps prochain la date de notre mariage. J'ai dit: «Nous avons tout le temps!» Elle m'a regardé longuement, sans rien répliquer.

Hier soir encore, l'inconnue était à sa table, plume à la main.

18 octobre — Cette nuit, un bruit dans la rue m'a réveillé en sursaut. De ces bruits qui vous arrachent d'un coup au sommeil le plus profond et vous vous retrouvez aussi alerte qu'en plein jour. Deux heures et quelques! J'ai écarté un coin du rideau et me suis penché. Dans la rue mal éclairée, quelque chose brillait, des éclats, juste devant la vitrine du bijoutier. Des gens couraient en direction du boulevard, la sirène d'une voiture de police a couvert tous les bruits, la voiture fonçait, venant de la Place d'Armes, les pneus ont crissé, les portières, claqué; deux agents se sont précipités... Je me suis penché davantage.

Tout à coup, j'ai vu l'inconnue. Elle aussi, à la fenêtre de sa chambre, ayant écarté un coin de son rideau. Je la voyais en pleine lumière; d'un geste, elle a remonté la bretelle de sa chemise de nuit, qui sans doute glissait. Je fermai de la main mon pyjama. Il lui manque un bouton.

25 octobre — Ce matin, sous un ciel pâle et serein, premier givre dans les pelouses du Vieux Port. Au pied des arbres encore à demi feuillus, couleur d'ocre, un rond d'herbe, grâce à la tiédeur du tronc et des racines, verdoie merveilleusement, imbibé de rosée.
À midi, Geneviève passe me prendre.

20 novembre — Mon livre est sorti il y a une quinzaine. Les premières réactions sont favorables, et l'éditeur se dit optimiste. J'attends quelques bons articles, plusieurs interviews, la participation à un débat télévisé. Les journées filent plus vite que jamais. Je sacrifie à ce travail tout mon temps, sans m'y consacrer vraiment.
Je ne parviens pas à détacher mon attention de l'inconnue. Quelque chose semble avoir changé dans son attitude: elle me voyait; maintenant, elle me regarde. Sans doute, quand j'écris ces mots, ma fantaisie m'égare, mais j'y cède volontiers. Cette présence absente, cette absence toujours présente, là en face, en est venue à me fasciner. À son contact je me sens perdre ma solitude et (pour dérisoire que cela puisse paraître) mon indépendance. J'ai cessé d'être libre et me vois mener avec l'inconnue une sorte de vie commune sans rien posséder en commun avec elle que quelques regards discrets et, en partie, fortuits! J'enrage et, en même temps, me plais à ces équivoques.
Hier, en revenant de faire mes courses au supermarché, je me heurtai, sur le trottoir, à Léon, cet ancien camarade logé au-dessus de l'inconnue. Il rentrait du Venezuela. Magnifique, mon cher, inouï! Sous un prétexte quelconque, j'accompagnai le bavard jusque chez lui, un sac de provisions au creux de chaque

coude, poussé par l'obscur désir de voir mes propres fenêtres, mon home, mon antre, à peu près sous l'angle et dans la lumière où les voyait journellement l'inconnue.

Rien que de banal, sinon (me sembla-t-il) la stupéfiante ressemblance de ce spectacle avec celui que m'offrent, de chez moi, les fenêtres de l'inconnue: disposition générale, style de décoration, mobilier même, tout paraissait presque identique! Seul le désordre qui dépare mon logis faisait la différence! Étais-je victime d'une illusion? Étrange dédoublement! Imposture des apparences, où pour un peu je perdais pied! Je m'excusai, sous un autre prétexte, redescendis, oubliant chez Léon l'un de mes sacs, celui qui contenait les chips et le café. Je l'y laissai. Léon est économe et sait profiter des aubaines. Quant à renouveler l'expérience, je n'y tenais pas. Dans la rue, la première neige fondait en boue, pétrie, semblait-il, de rejets d'essence. Le ciel se fermait à hauteur de toits, gris et sale, hostile. Les choses et les êtres se diluaient en un magma humide et amorphe.

24 novembre — Quand je suis revenu, à midi, de mon interview à Radio-Canada, le rideau de ma chambre à coucher (que par habitude je laisse fermé tout le jour, dans l'idée de protéger mon intimité!) était tiré de côté, découvrant une partie de la fenêtre. Distraction de ma part: j'avais dû négliger de le rabattre ce matin après avoir fait mon lit. Tandis que je le remettais en place, la stupeur me figea: le rideau de l'inconnue, entrouvert lui aussi, reproduisait la disposition du mien. Une pure coïncidence était improbable. Cette fille avait pris pour un signe le pur effet du hasard... ou, perfidement, un acte manqué pour indice!

18 janvier — Passé trois semaines «aux îles». Geneviève tenait à la Guadeloupe; moi, plutôt à Cuba. J'ai cédé sans peine, à condition qu'elle se charge de tout. La Guadeloupe nous a plu: nous préférons tous deux la promenade au farniente de la plage, et cette France miniature, très peu exotique, cordiale, rassurante, se prête bien aux longues marches sur ses routes étroites et sinueuses, ses chemins paysans entre les haies de pommes surettes. Pourtant, ces vacances me laissent un arrière-goût amer. Pour la première fois, nous nous sommes querellés vraiment... pour un rien, mais l'affrontement de nos colères et de nos orgueils s'est prolongé pendant deux jours entiers. La réconciliation arracha des larmes à Geneviève: je les trouvai maniérées et peut-être insincères. Me serais-je trompé à ce point sur son compte? Poser une telle question suffirait à remettre en cause tout projet de mariage. Mais je n'osais parler de mes doutes, les trouvant trop légers.

L'avion du retour nous a déposés avant-hier dans la neige et le vent glacial de Dorval. Aujourd'hui, une épaisse couche blanche recouvre le toit de la maison d'en face. La maison réchauffe le toit, la couche fond à sa base et glisse, la gouttière la stoppe, la masse l'emporte à la longue, pend comme un lourd rideau, frangé de stalactites. Ce matin, sur le Vieux Port, j'ai lutté contre un air têtu, cinglant, douloureux, qui pinçait le front et les mâchoires. Un brise-glaces ahanait entre les ponts. Dans l'axe du fleuve, en amont, en aval, un double grouillement gris de nuées basses se rapprochait de moi, le monde se rétrécissait, pris dans cet étau implacable. Mais soudain des flocons se formèrent et la neige a tout apaisé.

En face, l'inconnue est à sa table. De nouveau, elle écrit. Sans m'en cacher, je la regarde. À travers tout ce qui nous isole l'un de l'autre (deux fenêtres fermées, la rue, l'hiver, ma vie qui lui est étrangère, la sienne qui l'est à moi), elle sent l'intensité de mon regard, lève les yeux, me voit. A-t-elle souri? Il ne me semble pas. Tout est à la fois vrai et faux, fictif et, en même temps, bien réel: d'une réalité forte et présente, ici même (et pourtant on ne sait où), comme une odeur qui vous pénètre mais dont on ne parvient pas à localiser l'origine.

La situation devient, dans un moment comme celui-là, intolérable.

19 janvier — Ce soir, elle écrit encore. Du moins il me le semble: elle a déplacé sa table et me tourne le dos. Sa chevelure sombre ruisselle sur ses épaules. Je me sens évincé, réduit à néant, ombre vaine. Une violence me traverse, d'où m'est-elle venue? Je ris de moi. Rien n'a de sens. Le chat, négligemment allongé sur l'appui de la fenêtre, contemple dans la claire nuit gelée le croissant de lune qui passe la ligne des toits: l'astre mort et jaloux, veillant sur le secret des amours.

❑

En avril, elle est partie. Un soir, rentrant chez moi, j'ai vu son appartement vide. Ç'avait duré une année entière, sans qu'un mot ait été dit. Mais qu'aurions-nous dit? Nul ne pénètre la solitude d'un autre; et peut-être cette solitude offre-t-elle à chacun de nous le plus sûr refuge, que seuls des maniaques rêvent d'abolir ou de violer? Pourtant, la solitude, dirais-je en parodiant un mot de Paul Claudel, est une promesse qui ne peut être tenue... Le souvenir de mon inconnue me donne parfois l'impression d'un perpétuel recommencement inutile, et de jour en jour, depuis que le monde est monde, ineffablement neuf.

❏

Plusieurs mois ont passé. L'autre jour, en pleine foule de six heures, rue Peel — je venais de quitter Geneviève, la tête meublée de soucis ménagers relatifs à notre imminent mariage — j'ai distraitement croisé une jeune femme, jolie et vive, qui semblait se hâter vers la bouche de métro. À peine avait-elle passé que le déclic se produisit: cette perception de rouge et d'or, de soie, de foulard... Instantanément l'image se recomposa.

C'était elle.

Je me retournai, stupidement fébrile, cherchai des yeux. Elle n'était plus là.

Liberté chérie

C'est en haut de la montée: une rangée de maisons basses, d'un blanc brutal où s'écrase le soleil. Le couchant est encore loin. On n'est qu'en octobre. Au ras des maisons le pavé s'affaisse en rigole où stagnent des flaques malodorantes. En face court un long mur aussi blanc que les maisons et qui bouche la vue de la mer. Un hibiscus en dépasse, éclate en trompettes écarlates. Parfois, une porte encadrée de bleu garde du mauvais œil ceux qui vivent là. Ibrahim s'arrête; de l'avant-bras s'éponge le front. La cinquième après la venelle. Il y est.

La sueur se reforme, inépuisable, se fraie des canaux parmi les poils des sourcils et roule au coin de l'œil. Sanglé dans sa peau noire luisante, Ibrahim entier sue par-dessous le vieux veston incolore qu'il a revêtu pour dissimuler le paquet plat engagé dans la ceinture. Ses muscles durs, sous le tee-shirt, supportent mal cette contrainte. Voici qu'au-dessus du nez large ouvert, de la bouche épaisse, le regard étonné, enfantin, se referme: sur un secret ou sur une peur. Le monde est là, partout répandu dans l'intolérable lumière. Quelques mètres séparent Ibrahim du seuil qu'il va franchir. Il les parcourt lentement, encombré de son grand corps, de sa force maintenant inutile,

alors que soudain une timidité retarde ses mouve-
ments: une incrédulité, inattendue après tant de semaines d'espoir. Ibrahim se sent humble, prêt à tout.

❑

Dedans, il semble faire frais. Le ventilateur brasse
au plafond l'air tiède de la pièce et cette brise vous sou-
lage comme un vent de mer. Une étroite fenêtre donne
sur la cour, où porte l'ombre de la maison. Le regard s'y
repose. L'humilité a chassé la peur. L'homme est là. Il
tient dans sa main notre sort. Sa main écrit. D'une porte
entrouverte, à sa gauche, émane un relent de suint. Une
voix d'enfant se plaint, sur un ton de psalmodie. Quelqu'un fait: chut! Tout se tait. Ils sont quatre, assis sur
leurs talons, au pied du mur: deux Noirs; un Marocain;
plus loin, une femme voilée, le visage dans les mains. Le
plus vieux des Noirs se râcle la gorge, crache. L'homme
ne les regarde pas. Eux, ils attendent qu'il ait terminé
ses écritures. Son inattention leur signifie sa puissance.
Sur le menton et les joues du visage étroit perce une
fine barbe grisonnante, mal rasée. Au-dessus de la tête
de l'homme, une affiche pointillée de chiures de mouches vante les merveilles de l'Espagne: une femme aux
grands yeux y descend un escalier de pierre; elle sourit;
derrière elle, une arche ouvre sur la campagne fleurie.
Ça fait rêver. On touche au but, et voilà qu'on n'ose
plus y croire. L'homme s'appelle Djamal. Il est riche et
malin, Youssouf l'a dit. Il porte une chemisette propre
et bien repassée, avec des dessins. J'ai de la chance, se
répète Ibrahim, beaucoup de chance.

L'homme pose le stylo, repousse le cahier sur lequel il traçait des chiffres. Le vieux Noir se soulève, la
face barrée d'une grimace qui feint la bonne humeur.

«Après!» dit l'homme. Et, à Ibrahim debout, immobile sous ce regard: «Tu as l'argent?»

Ibrahim fait oui de la tête, extrait le paquet. L'homme ouvre l'enveloppe, compte du pouce les billets, cinq mille, c'est ça, reprend le stylo, inscrit des lettres et un chiffre. Cela fait un nouveau, pénible silence.

«C'est six mille que tu dois, dit Djamal.

— On avait convenu...

— Et la commission? Qui c'est qui va la payer à Youssouf?»

Ibrahim frotte ses grandes mains rudes l'une contre l'autre. Puis l'une d'elles fouille dans la poche, en tire avec peine deux billets chiffonnés: ce qu'on gardait pour les coups durs. Un coup dur, ça, c'en est un! Ibrahim avait cru... Mais Ibrahim est sorti du monde réel, il vogue en plein brouillard, au-delà des émotions. Tout au fond de la poche il reste une poignée de francs CFA, qui ne valent rien ici.

Djamal ne sourit jamais. Chacun son genre. Il ouvre un tiroir, y range le paquet, repasse du doigt les billets. Il dit:

«C'est bien. Et autant au départ. On est d'accord?»

Le regard glacial dément le ton presque cordial de la voix. La voix reprend, tandis que les doigts jouent avec le stylo:

«On embarque demain à minuit. Tu sais où. Compte une heure et demie de marche. Rendez-vous à onze heures et demie, pas plus tôt: la lune se couchera demain à neuf heures, donc pas de risques. Et n'oublie pas l'argent, sans quoi tu perds tout.

— Mais c'est sûr qu'on partira?»

Ibrahim a rassemblé son courage pour poser la question qui l'oppresse depuis tout à l'heure.

L'autre éclate, lance une injure, puis affecte de se contenir, martèle ses mots d'un ton implacable où résonne, non plus la colère mais, bien pire, le mépris.

«Répète, et je fais rentrer les mots dans ta sale gueule noire! Sais-tu combien j'en ai organisé, de traversées, depuis décembre, combien, hein? Tu ne peux pas savoir! Je vais te le dire, moi: cent, deux cents, je ne fais pas le compte, moi, ça porte à mille cinq cents, deux mille personnes. Tu entends, deux mille. Alors? Je suis honnête! Il y en a qui me téléphonent d'Espagne pour me dire merci!»

Déjà le regard sauvage se détourne. Deux doigts claquent dans la direction du Marocain.

«À toi, maintenant! Et grouille, je suis pressé!»

Ibrahim a roulé sa veste, se la cale sous le bras. Les yeux de la femme ne l'ont pas quitté; ils baignent dans une peur liquide. Les deux Noirs le dévisagent avec une insistance haineuse.

Dehors, le jour baisse. Le ciel est d'un bleu presque mauve. Le croissant argenté de la lune a passé la montagne couchée à l'horizon. Des pétales d'hibiscus flottent sur une flaque comme des barques sur une petite mer sans danger.

Au lieu de redescendre la côte, Ibrahim continue jusqu'à l'extrémité de la rue et tourne à gauche. Il rejoindra la médina en évitant la ville basse. On n'est jamais assez prudent. Toute leur flicaille est contre nous. Ils s'entendent d'une rive à l'autre du détroit: ils viennent de là-bas en civil, comme des espions; et ceux d'ici font de même. C'est pour ça que les prix montent, et ça rend méfiant. Il ne se passe plus une semaine sans qu'une rafle ne ramène sa charretée de pauvres diables, bons pour la taule, et ils t'enlèvent ton passeport, si tu en as un, te le rendent seulement quand tu as trouvé l'argent d'un billet de retour! Mais de retour chez toi, cette misère dont tu ne veux plus. Omar le Guinéen s'était laissé convaincre: au bout d'une année, à force de travail et de privations, il avait épargné l'argent. Résultat: son billet pour Konakry, il se l'est fait voler à Casa. Maintenant les flics l'ont repris. Au moins, en taule, il mange. Mais quand même...

Ibrahim chasse ces pensées. Lui n'a pas de passeport. Même un faux coûte trop cher. Jusqu'ici, il a eu de la chance, beaucoup de chance. Plus aucun bar de la ville n'est tout à fait sûr. Il ne les fréquente plus. Les hôtels, n'en parlons pas. Demain soir, le cauchemar prendra fin.

Les rues latérales plongent vers la mer; là-bas le môle protège comme un bras tendu le bassin du port de pêche. Çà et là on voit une lumière s'allumer sur l'une des barques aux voiles repliées; d'autres s'éloignent vers le chenal et ses bouées: l'hélice du petit moteur doit former un sillage triangulaire qui s'élargit en écumant; mais il est trop loin pour qu'on le distingue d'ici.

❑

Les cyprès du cimetière sur la colline, lames noires aiguës, percent le ciel. La nuit approche de Tanger avec précaution; elle glisse plutôt qu'elle ne tombe. Là-bas, elle tombe. Mais là-bas, c'est si loin qu'à certaines heures le souvenir s'estompe, parfois s'efface, puis revient vous hanter, se loge en vous, bien chaud, à la façon d'une bête familière. Maintenant le ciel pâlit du côté où le soleil a disparu; il vire au vert, au bleu. Une dernière étincelle embrase la mer.

Ibrahim va vivre ce soir encore à Tanger. Demain, tout sera fini. Ibrahim a vérifié le contenu de sa musette, on ne sait jamais. Une vieille chemise; ses souliers: un luxe, de vrais souliers de cuir, don des sœurs de la Charité, jadis à Koudougou, au Burkina, c'est son pays; un demi-pain; et sa précieuse boîte. Il ne possède rien d'autre; mais de quoi d'autre aurait-il besoin, au moment où pour lui s'ouvre l'horizon? Il sou-

pèse ce bagage. Parfait. Le corps d'Ibrahim voudrait
s'agiter, il voudrait faire, mais quoi? Entre les quatre
paillasses qui meublent la chambre, il reste juste l'espace de trois pas dans un sens, cinq dans l'autre. Il
semble soudain que la chambre empeste: la sueur, la
crasse. Ibrahim n'a pas envie d'assister à la rentrée des
autres, soûls comme tous les soirs. Ce que pense, ce
que s'apprête à faire Ibrahim ne les regarde plus. La
lueur du clair de lune projette des ombres mouvantes
dans la venelle. Sans bruit sur ses pieds nus, Ibrahim
monte à la terrasse qui couvre la maison, se tasse dans
l'abri qu'y forme le mur de la maison voisine. À ses
pieds, la rue est déserte, les boutiquiers ont rentré
leurs éventaires, rangé derrière des volets de bois les
paniers de victuailles et les piles de marchandises qui,
le jour, encombrent l'étroite chaussée dans un parfum
d'épices et le brouhaha des boniments et des mar-
chandages. Des voix s'élèvent, plus bas; un rire. Puis le
timbre grelottant d'un ivrogne s'essaie à chanter Dieu
sait quoi, sous la lumière bleue et liquide de cette
douce lune, là-haut, qui déjà s'incline sur l'horizon
lointain des montagnes. Une puissance inconnue a
saisi tout entier Ibrahim.

Tout en bas, vers le port et ces bars miteux où, le
soir, les nègres vont traîner leur nostalgie ou tenter la
fortune au jeu, voici que résonnent les premières notes profondes du balafon. Puis le rythme s'accélère.
Du fond de l'Afrique, il appelle. Mais l'Afrique...

Quand il aura passé, Ibrahim sera riche. Il fera venir sa vieille mère. Il le lui a juré. C'est pourquoi elle
l'a laissé vendre leur case, à Koudougou, l'une des
deux chèvres et le jardin. Ça n'a pas suffi tout à fait,
mais quand même... Le père est mort il y a si longtemps qu'on ne se rappelle plus. La mère est très
vieille. Elle avait des mains si douces, quand Ibrahim
était enfant, si délicates pour toucher les objets et les

déposer à la juste place qu'il fallait! Ibrahim aime les femmes et cet espace rassurant qu'engendre leur présence. Il ne les aime pas comme disait les aimer Amos, ce faux compagnon qu'il eut durant son long voyage jusqu'ici, coureur de garces, au point que sa disparition soulagea Ibrahim: avec les garces, rien n'est sûr. Maintenant, Amos a passé. Il est là-bas, de l'autre côté de cette mer. Où a-t-il trouvé l'argent, bien fin qui le dira. À personne il n'a parlé. C'est en juin, juillet qu'il est parti, sans prévenir. Le cousin qu'il a ici à Tanger (est-ce un cousin vraiment?) prétend avoir reçu une lettre: Amos est bien arrivé, il a rejoint son frère (mais est-ce un frère?) dans un pays nommé Balgi ou Bulgik, un mot comme ça. Ils sont riches. Ça donne confiance. Mais Amos est bavard, vantard, toujours à cheval entre le vrai et le faux. Alors? Quand Ibrahim a su qu'Amos n'était plus là, il s'est trouvé gîte dans un garni clandestin, pas cher, plein de punaises et qui puait la pisse, puis un autre, un autre, il a fallu changer une dizaine de fois en trois mois, surtout les derniers temps à cause des flics.

Envers Amos, Ibrahim garde pourtant une dette de reconnaissance. C'est grâce à lui qu'il a persévéré; qu'il a puisé en lui-même la force de parvenir jusqu'ici, sur le seuil de la liberté, au prix de beaucoup de fatigues et de souffrances; qu'il a traversé tant de pays, du Burkina au Mali au Sénégal au Maroc... au point de brouiller dans sa mémoire toutes ces visions décousues, ces morceaux jamais assemblés de ce qu'il a vécu. Demain, à son tour il franchira la mer, comme l'a fait Amos. Il se sent heureux. Et voici que revit en lui l'image de cette fille qu'il avait rencontrée au marché de Kayes (un nom qu'il se rappelle!), c'est une ville du Mali: elle relevait son voile, les rouleaux serrés de ses cheveux formaient un cimier précieux au-dessus de son visage noir. Le visage entier, le front, les pommettes hautes et dures, les joues si tendres, le nez, la bouche aux lèvres gourmandes, tout semblait porté au-devant d'Ibrahim, de lui seul, comme une offrande. Il y avait alors des semaines qu'il avait quitté Koudougou et la mère. Il était prêt à rester là, à mourir du bonheur d'avoir cette fille. C'est Amos qui l'a remis en marche, remis en vie. Il a dit: «Imbécile!» Seulement ça. Mais d'un tel ton qu'Ibrahim a compris.

C'est à Kayes aussi, quelques jours plus tôt, qu'Ibrahim, avait connu Amos. Amos se disait mécano, et rafistolait des moteurs de camions quand ils arrivaient, toussotant, à bout de souffle, de la piste de Kiffa, où l'on rejoint la grand-route de Mauritanie. Amos et Ibrahim avaient parlé camions; au bout d'une heure ils se sentaient frères, à tout instant prêts à se quereller, liés d'affection et voués à un sort semblable. Le soir, ils s'asseyaient au pied du mur de torchis qui cernait l'enclos du Vieux, c'est ainsi qu'ils appelaient le patron d'Amos. Autour d'eux, la ville s'aplatissait sous les étoiles, la nuit fourmillait à l'infini de cliquètements d'insectes. Des chiens maigres se battaient en grondant sur le tas d'ordures. Le Vieux leur jetait des pierres s'ils approchaient trop. Des femmes chantaient. Leurs voix s'assourdissaient au carrefour et peu à peu s'étouffaient.

Amos était arrivé de Bamako à la saison dernière. On lui avait, disait-il, volé dans le train son argent et son passeport. Il se refaisait ici, grâce aux camions. Bientôt il en aurait assez pour repartir. Il parlait obscurément d'un «coup», d'une «chance». Ibrahim, convalescent d'amour, n'avait pas le cœur aux questions indiscrètes.

Ils iraient ensemble (ils l'avaient décidé) vers le nord, comme vers le pays de cocagne où tout serait donné: Ibrahim, à l'aveuglette et se fiant aux on-dit; Amos, avec une apparente prudence: il avait un frère, une sœur, une ribambelle de cousins là-bas, en Europe, qui l'attendaient, le suppliaient de venir. Comment contrôler ces récits? Force était d'y croire: ils encourageaient l'initiative. Mais Ibrahim pensait qu'à sa vieille mère il faudrait envoyer un billet d'avion: le chemin qu'ils allaient suivre serait trop pénible pour elle. Un billet, c'est cher. Certes, il aurait de quoi. Dans le ciel tournaient solennellement les étoiles, toutes proches, on les aurait touchées de la main si le bras avait daigné se tendre. Le bruit d'un tam-tam couvrait les voix.

Amos avait prévu qu'ils partiraient en septembre: le fleuve serait à ce moment-là dans ses plus hautes eaux, et des barges navigueraient de Saint-Louis du Sénégal jusqu'ici, et retour, sans trop d'obstacles. Si l'on attendait davantage, il faudrait aller prendre le bateau loin en aval et, sans passeport, par la route, c'était risqué. Amos rôdait sur la berge, discutait de tout avec tout le monde, riait. Amos, on l'aimait bien: un vrai *banabana*, comme on dit, un débrouillard. Le fleuve était du même bleu que le ciel; les collines sur l'autre bord passaient de l'ocre au jaune et au gris selon les heures. Un vol de flamants roses s'élevait de la courbe du fleuve. Ibrahim suivait le cours qu'Amos imprimait aux choses. Il se reposait sur lui de son grand effort.

La nuit, il lui arrivait de s'asseoir sur sa couche, les mains au menton, et de s'abandonner au souvenir. Il revoyait l'ombre du grand tamarinier de Koudougou, sur la place où ils s'assemblaient, cinq, six, dix jeunes hommes, dès que le soleil avait tourné, chômeurs qu'ils étaient, bouillants d'énergie vide qui parfois explosait en violence. Ils parlaient des pays incertains, où de temps à autre l'un d'eux finissait par s'enfuir, n'en pouvant plus de ces rêves de transistors, de cinémas, de filles blondes; une France de légende qu'évoquait la mémoire de quelque vieux, et qu'illustrait, dans la case d'Amadou le boiteux, la Croix de guerre de l'aïeul piquée au mur par une punaise. Le désœuvrement engendrait ces discours, à l'abri de ceux-ci se formait une idée: un beau jour, on s'apercevait qu'une volonté avait mûri. Des femmes revenaient du marché, en jacassant, leur panier vide sur la tête, heureuses d'avoir vendu leur poignée de dattes et leurs deux pastèques. Quand elles passaient, le parfum de leur sueur vous prenait au nez et tournait la tête.

Ibrahim était parti avec elles et leur odeur, un matin, par le car, ayant cousu dans la ceinture de son pantalon la sacoche qui contenait son avoir. Pour commencer, il s'en allait à Ouaga, la capitale. Que ferait-il ensuite? Il l'ignorait; mais à Ouaga il trouverait des gens au courant des combines. Il lui avait fallu des semaines pour s'informer. Droit vers le nord, on devait bien finir par atteindre ces terres bénies. Comment? Les avis divergeaient. Ils étaient dix, vingt, trente ici, à préparer le grand départ. Ils s'asseyaient, dans leurs jeans loqueteux, coupés à mi-cuisse, au bas du grand mur d'enceinte qui fermait le domaine du roi des Mossis; ou sur les barrières de métal qui bordaient le marché. Derrière une façade jaune, un hôtel pour étrangers s'élevait au-delà de l'égout à ciel ouvert et de la chaussée où klaxonnaient les scooters bloqués par un camion déglingué, en panne au carrefour parmi les flics et les badauds. Au marché, de grandes filles rieuses déployaient à deux bras des pièces de cotonnade rouges ou vertes, des boubous bariolés, interpellant la cliente de leur voix aiguë. Aux petites tables dressées devant l'hôtel, des Blancs en shorts et à chapeau de brousse, le torse tatoué sous la chemise ouverte, fixaient leur verre de bière et hochaient la tête.

«L'Afrique, c'est foutu, disait l'un.

— On l'aura vue mourir», ajoutait l'autre.

On savait qu'ils vivaient de la contrebande de vieilles voitures: la dernière industrie qui fonctionnait.

Les chômeurs de vingt ans, eux, n'y pensaient guère. «Quand tu arrives à Paris, assurait l'un, il y a une file de femmes qui t'attendent à la gare, tellement les Blanches raffolent des Noirs.

— Moi, j'ai un cousin qui... » confirmait l'autre.

À la fin de juillet, Ibrahim avait rencontré l'occasion rêvée: un camionneur en partance pour Mopti par la piste du Yatenga, où la police malienne des frontières regarde les chargements de moins près. Le camion transportait des sacs de dattes et dix personnes, un soldat qui regagnait sa base, deux vieux bergers presque aveugles et une escouade de jeunes femmes bavardes et gaies, aux formes luisantes. Toutes les demi-heures, le chauffeur s'arrêtait, crachait, jurait, resserrait les cordes qui maintenaient les sacs et le fil de fer qui fermait sa portière. Les femmes avaient percé un sac, et on se gavait de fruits secs et sucrés tandis que cette ferraille roulait, tanguait, brinqueballait de cailloux en ornières et en bancs de sable à travers la savane roussie, de loin en loin empanachée d'un baobab ou d'un bouquet de flamboyants, sous le ciel où tournaient des milans noirs.

❑

C'est ainsi qu'avait commencé l'aventure.

Après Mopti, il avait fallu guetter un autre camion se dirigeant vers le nord, et ainsi à chaque étape — sans savoir, à l'arrivée, le nombre de jours qu'elle durerait. Combien de temps a-t-il donc fallu pour un tel voyage? Des semaines? Deux mois? Trois? Ibrahim n'a pas fait le compte. Voici que la mémoire flanche. Peut-être à cause de toute la misère qu'on a vue. C'est donc ça, voyager? Ou bien, est-ce qu'une malédiction pèse

sur nous, sur la terre rouge qui nous a faits? Ne subsis-
tent sous les paupières abaissées que des images dis-
continues. Rangées de huttes sordides, plongées dans
une puanteur d'excréments, enfants accroupis cou-
verts de plaies, sans force pour en chasser les mouches, masures et tentes de réfugiés, à perte de vue, sol
crevé, bœufs squelettiques aux yeux exorbités, va-
cillant sous le fouet. Dans la nuit d'un village antique,
sous le minaret en ruine, on se passe à la ronde, entre
hommes, la pipe de kif autour du feu: mais d'aussi pai-
sibles souvenirs sont rares. C'est pourquoi le présent
nous étouffe. Il faut partir, n'importe où, sortir la tête
de l'eau pour échapper à cette mort. Au Mali c'était
pire. Sous leur turban noir, les Touaregs émaciés,
chancelants de famine, vous tendaient leurs deux
mains comme pour faire la preuve de quoi? vendaient
leurs armes, eux qui avaient été les rois du désert, pros-
tituaient leurs femmes pour quelques francs, eux qui
avaient été les plus jaloux des hommes.

À la fin, Ibrahim s'est trouvé dans cette grande
ville que les Maliens appellent Kayes, tout au bout de
leur pays, au bord du fleuve qui mène au Sénégal. Il
n'y était pas depuis deux jours qu'il était tombé sur
Amos, dans l'attroupement qui se formait autour d'un
possédé en pleine transe, crispé dans la poussière,
aboyant, chien rauque, les yeux blancs, le menton couvert de bave. Le soleil s'abattait à l'horizon, comme
une pierre. Amos s'en allait. Ibrahim le suivit. Assis
côte à côte au pied du mur du Vieux, ils se parlèrent.
Amos tira de sa poche une noix rouge de kola, en
cassa un morceau, l'offrit. Fraîcheur et amertume. La
mâchoire mastique. La langue renvoie la pulpe d'une
joue à l'autre. Ibrahim est heureux.

Amos était un petit homme, rond mais vif, rieur,
aux larges oreilles. Il avait le regard mobile et qu'il
était difficile de fixer, à l'ombre de la visière: Amos ne

quittait jamais cette casquette jaune, avec un nom à moitié effacé, en lettres qui avaient dû être vertes. Il avait des idées, n'allait pas au hasard. Il avait un cousin à Tanger. C'est par là qu'il passerait. Ibrahim ne demandait qu'à le croire.

Ils avaient embarqué sur le fleuve, une nuit peu avant l'aube, ayant échappé à tous les contrôles. Ils avaient dormi sur les sacs de mil ou d'arachides embarqués, débarqués, à chaque village, parfois sans village, une simple plage où les attendaient un marchand et ses ânes sous leurs paniers, un pêcheur et son tas de poissons entre deux pirogues peintes. À Saint-Louis, ils s'engagèrent sur un cargo qui cabotait vers le Maroc: lui comme soutier, Amos à la cuisine. C'était une chance. Mais où les conduisait-elle? Ibrahim se taisait; Amos avait cessé de rire.

C'est alors qu'un soir Youssouf les avait abordés. Ils avaient vu, la veille, ce grand Maure, presque blanc, embarquer à l'escale, dans son short à peine froissé, la chemise rose entrouverte... Ce ne devait pas être n'importe qui: le patron l'avait accueilli sans trop de chaleur, mais on sentait qu'une complicité les liait.

Le cœur battant, Ibrahim se remémore ce soir-là.

Le soleil venait de s'éteindre. Le vent restait chaud. Une à une, les étoiles les plus basses, à l'horizon, s'effaçaient dans une brume bleutée. Amos et Ibrahim regardaient la brume, accroupis, sans mot dire, appuyés au plat-bord.

«Vous avez des ennuis?» avait demandé, tout près d'eux, en français, la voix douce de Youssouf.

«C'est nos affaires, avait répondu Amos, d'un ton rogue.

— Je peux vous aider», avait insisté la voix.

C'était la chance qu'on avait espérée. Youssouf savait comment se rendre en France, même sans papiers. On traversait le Maroc, puis l'Espagne. C'est

long et malaisé. Jamais un homme seul, même deux...
Mais il avait, lui, les moyens, les relations, les adresses.
S'ils lui faisaient confiance, il leur désignerait son cor-
respondant marocain. Il éprouvait pour eux une vraie
sympathie et désirait de tout son cœur leur rendre
service. Certes, il devait gagner sa vie; mais à des amis
comme eux il ne demandait pour commission pas plus
de quinze pour cent du prix du passage. Youssouf
s'était assis en face d'eux. Il posait sur eux (dans la
lueur mouvante d'une lanterne) le regard sérieux de
qui ne cherche qu'à faire plaisir. Il tendit la main
comme pour un serment. Le geste remonta la manche
sur un bras entièrement recouvert de tatouages bleus.

De tout leur voyage, Ibrahim ne vit la mer que ce
soir-là. À Casablanca, Youssouf les attendait sur le quai.
Il n'était pas seul: une demi-douzaine de ses clients
l'entouraient. Par la suite il en vint d'autres: en arrivant à Tanger, ils seraient une quinzaine. Mais ce
n'était pas mieux que d'être seuls. Ils se parlaient à
peine, chacun d'eux traînait son secret. Ils venaient on
ne sait trop d'où, Noirs ou Maures, plusieurs ne com-
prenaient pas le français ni aucune langue connue.
Heureusement, Youssouf s'occupait de tout. Il les ré-
partissait en petits groupes, trouvait toujours un camion où faire monter trois ou quatre personnes qu'il
récupérait à l'arrivée. Les routes de ce pays ne valaient
guère mieux que les pistes maliennes; ou bien les
chauffeurs évitaient les grands axes: telle était l'opi-
nion d'Amos, qu'une hâte avait saisi. Pourtant, Ibrahim se demandait si vraiment il avait un cousin là-bas.
Des troupeaux de moutons rentraient dans la buée du
soir, de loin leurs bêlements roulaient comme une marée. On couchait dans les camions, serrés les uns
contre les autres car il faisait froid, novembre commençait, un vent humide tombait des montagnes.
Mais dès lors tout alla très vite, et voilà...

Très vite jusqu'à Tanger, et voilà dix mois qu'Ibrahim y reste accroché, à trimer dans le port. Youssouf les avait envoyés, l'un après l'autre, à l'agence Djamal, ainsi qu'il l'appelait, pour prendre langue et voir les prix. Youssouf avait parlé de sept mille dirhams; Djamal en exigeait dix mille. D'une voix à fendre l'âme, il évoquait la dureté des temps, les mauvaises affaires, les risques qu'il courait pour se rendre utile. Du moins, Amos avait vraiment un cousin, ou qui se disait tel, avec une femme et beaucoup d'enfants. On se sentait moins seul. Amos disparaissait durant des jours, rentrait chargé de paquets qu'il tenait sous clé dans une valise. Ibrahim avait déniché un boulot de débardeur. Il épargnait, pour parfaire la somme.

Youssouf ne se montrait plus. Des volées de jolies filles couraient la ville, plus ou moins voilées. Ibrahim s'interdisait de les voir, comme il avait renoncé au bordel où l'invitait fraternellement Amos. Il pensait à sa mère et à tout l'argent qu'il faudrait pour la faire venir. Ça le rendait économe, pingre, disait Amos. Dans les bars du port on racontait des histoires: beaucoup échouaient, à bout d'argent, coincés, volés par tout le monde mais écœurés à l'idée de rentrer chez eux, soûls dès qu'ils avaient fauché quelques pièces à une paysanne du marché; ils dégringolaient la pente; d'autres, c'était pire, se faisaient prendre à l'arrivée, comme des rats. La police espagnole de Tarifa tenait registre de toutes les barques du détroit. Pourvu qu'ils ne nous débarquent pas à Tarifa!

Rien pourtant n'entame l'espoir d'Ibrahim. J'ai la baraka, se répète-t-il pour se donner du cœur: un mot qu'il vient d'apprendre. La traversée dure trois heures, quatre si la mer s'agite, c'est ce qu'on dit. Qu'est-ce que trois heures, même quatre, dans la vie d'un homme?

Ibrahim se secoue. Un bruit — où donc? — l'a réveillé. Il somnolait. Une ultime pointe de lune émerge de l'horizon. Demain, à cette heure...

Derrière une porte, sous la terrasse, une voix de femme crie de longues phrases. Un homme rit.

❑

Le ciel est chauffé à blanc. Des nuées translucides le voilent, très haut. Mahmoud atteint le sommet de la côte. Il souffle. Il porte lourdement son corps massif, dont la tête rasée, sans cou, est posée comme un petit cube sur le gros. À cent mètres, Djamal, sur le seuil de l'agence, la main en abat-jour, interroge le ciel. On entend des piaillements d'enfants. Djamal se retourne, crie un bon coup, fait taire son monde. Il rentre. Des nuages ébouriffés, tout blancs, sortent lentement de la mer.

Mahmoud est l'associé de Djamal, l'exécutant. *Fifty-fifty*, c'est leur accord, voilà six mois que ça marche. Tout baigne dans l'huile, quoique chacun ait ses intérêts et ses idées à soi. Ils unissent leurs compétences, différentes mais complémentaires, c'est la clé du succès. Djamal vient de l'industrie hôtelière: il était chasseur à l'hôtel des Touristes de Colomb-Béchar, en Algérie; Mahmoud est marin: marin-pêcheur professionnel, né et élevé à Ksar-es-Shir, sur le détroit.

«Le temps? questionne Djamal.

— Pas fameux.

— Qu'est-ce qu'on fait?

— On part.»

Le détroit n'est pas bien large, de seize à trente milles marins selon qu'on vise Tarifa, Algésiras ou même (drôle d'idée!) Barbate; mais il forme un goulet profond où les vents s'engouffrent et que traversent de forts courants.

«Au coucher de la lune, ça se calmera, énonce Mahmoud.

— On est le 4 octobre...

— Je te le dis.»

Les yeux de Mahmoud paraissent ridiculement petits dans ce visage mafflu.

Mahmoud hausse les épaules. Il rit, de son rire à lui, qui ne découvre pas les dents.

«Tu t'y connais mieux que moi», concède Djamal.

Mais un souci l'occupe: la police se fait de jour en jour plus indiscrète, on parle d'ordres venus de très haut. L'enveloppe qu'il faut bien remettre, à qui on sait, pour qu'il vous fiche la paix, s'épaissit chaque mois. Alors, la consigne s'impose: éviter les incidents, à tout prix.

Mahmoud a saisi. Il dit, froidement:

«On retrouve à peine cinq pour cent des cadavres de naufragés: chiffre de la Croix-Rouge espagnole. Le risque est faible.»

L'autre toussote, passe le doigt sur son menton pas rasé.

«Ils parlent de centaines de noyés: trois, quatre cents. À la longue, ça tuera le commerce.

— On exagère. Et puis, les noyés ne le sont pas tous à cause d'un naufrage. Tu te rappelles Rachid... »

Rachid se trouvait à trois cents mètres de la côte, une plage déserte, bien choisie, à l'est de Tarifa. Tout à coup, il a vu les flics, une bonne dizaine, qui l'attendaient avec un fourgon. Il passait cette nuit-là dix-huit types, tous des Noirs. Alors, il n'a fait ni une ni deux: il a viré et pris la vague de travers. Il y a une forte houle par là: sa barque s'est quasiment retournée et vidée de son contenu, ils étaient dix-huit à barboter, à crier au secours. Il n'y en a pas un sur vingt qui sache nager, de ces nègres. Lui, Rachid, il était déjà loin.

Mahmoud n'explique pas ce que lui inspire cette histoire. Il ne sait pas lui-même, sinon que d'un côté, Rachid n'y était pour rien si la police lui a tendu un traquenard, et que de l'autre, il n'a pas été pris. Et puis, Rachid n'est pas le seul. Des mésaventures comme la sienne, on en connaît beaucoup. C'est pour ça que, ces nègres, les Espagnols les appellent *mojaitos*, les mouillés. Rachid est un bon marin, la pêche ne rapporte plus un sou, il a bien fait de se reconvertir dans le passage, c'est un commerce d'avenir. Les affaires de Rachid marchent bien.

La caboche de Mahmoud se redresse, les petits yeux louchent vers la porte d'où viennent des odeurs et des bruits de cuisine. Ses lèvres remuent. Il finit par en sortir un son:

«C'est vrai qu'il y a beaucoup de risque: pour nous deux; mais en cas de coup dur, c'est moi qui trinquerai d'abord. J'ai pensé...»

Il s'interrompt. Les deux regards s'affrontent, et Mahmoud reprend, en baissant la voix comme s'il craignait une contradiction:

«Il serait juste qu'on révise les règles du partage. J'ai réfléchi. Quarante-soixante, ça t'irait?

— D'accord. Mais je déduis de ton pourcentage les petits profits que tu fais à côté.

— Profits... petits profits... Mais...

— Je sais tout. Ne m'oblige pas à en dire davantage. Nous sommes donc quittes, et bons amis.»

Leurs regards n'ont pas baissé. Mais la tension entre eux se relâche. Les deux hommes sourient.

«Combien, ce soir? demande Mahmoud.

— Quinze, dont deux femmes. Mais...

— Quoi donc?

— En prendrais-tu un seizième?

— D'accord. De toute manière, il y a de la place pour dix, douze; cinq de plus ou six, quelle différence? Je les tasserai un peu. Maintenant, il faut que j'y aille.»

Ils s'accolent, se tapent dans le dos. Mahmoud s'en va, referme avec soin la porte derrière lui.

La nuit est tombée. Le croissant de lune éclaire faiblement le fin nuage qui le recouvre. De l'ombre d'un porche, à mi-côte, sort une ombre courte.

«Salut!»

C'est le Français, un noiraud aux yeux de Chinois. Toujours à l'heure, une vraie horloge. Sous le porche, une masse.

«Le sac, dit le Français.

— Combien?

— Cinquante kilos.

— C'est lourd.»

Mahmoud soupire comme si tout le poids de la terre reposait sur ses épaules.

«Je t'emmène en voiture, dit le Français.

— C'est imprudent.

— Le temps de lâcher la marchandise et je file.

— D'accord.»

Comment s'en tirer? pense Mahmoud. Ça augmente les risques et, par le temps qui court, passer de la came rapporte à l'intermédiaire, tout bien calculé, dix fois moins que de passer des gens.

«Je voulais te dire… commence Mahmoud.

— Quoi?

— Non. Rien.»

Le ciel, par-dessus eux, n'a pas d'étoiles. Il paraît creux, faux, comme s'il n'y avait rien derrière.

❏

Il fait nuit noire. La lune a disparu depuis plus d'une heure, autant qu'on peut en juger, car aucun d'eux n'a de montre. Les nuages se sont évaporés. Dans le globe du ciel se déploie le dessin des constellations; la Voie lactée ceinture de brillants ce vide immense. Un vent tiède souffle de la mer. Des vagues se brisent en claquant sur la frange de rochers qui abrite cette anse solitaire. Au-delà s'éparpillent des rouleaux d'écume au rythme pressé de la houle. Le vent sent l'algue et le sel.

Pas une lumière. Mais l'œil s'est fait à cette obscurité: on a marché près de deux heures jusqu'ici. Une tache blanchâtre s'enfonce, plus bas, entre deux pointes de roc. À force de la fixer, on reconnaît une barque brisée, pleine d'eau, flottant comme un cadavre dans le goulet qui la coince.

«Ce n'est quand même pas?...» demande Ibrahim.

Il a prononcé à mi-voix ces mots, qu'une peur naissante lui a mis sur les lèvres. Le vieux à son flanc ne répond pas.

«... quand même...» reprend Ibrahim.

L'autre s'extrait de son silence.

«Là-bas...» dit-il.

Sa voix de fausset parle de là-bas, après, un jour. Le vieux est sourd, ou timbré. Il traîne avec lui un sac d'oranges. Ils sont une quinzaine, serrés comme des moutons dans le recoin le plus noir que forme l'aplomb de la falaise. L'un ou l'autre fume, nerveusement, les mains en conque pour cacher le bout rouge de la cigarette. Ils attendent. Que répondraient-ils en cet instant si on leur demandait quoi? Quelque chose d'autre que leur vie. Un peu à l'écart des mâles, les deux femmes se tiennent par le cou. Elles chuchotent. Ibrahim tend l'oreille. L'une d'elles assure à l'autre que tout ira bien; que là-bas, bientôt, un jour. Ses paroles de réconfort sonnent creux. On voit la femme porter sa main à la bouche pour refouler l'angoisse qu'elle trahit. Pourtant, Ibrahim se met à penser lui aussi qu'un jour là-bas.

Une voiture, tous feux éteints, stoppe sur le chemin, à cent mètres. Un homme en sort, ployé sous une charge qui doit être lourde et, tandis que la voiture démarre sans bruit, court au creux d'eau que dissimule un épaulement de la colline. On l'entend jurer à mi-voix, tirer une chaîne. C'est donc lui le batelier; et son sac, rêve Ibrahim, c'est peut-être de la nourriture pour nous: ils sont vraiment bien honnêtes! Voici la barque, avec son mât court, comme on en voit tous les jours amarrées au port de pêche: c'est rassurant. La barque tourne le môle naturel que forme le rivage; le batelier rame et décrit un demi-cercle qui l'amène au pied de la pente droit devant nous. L'avant de la barque s'immobilise sur le sable. L'homme saute, accourt, se précipite sur un fumeur, lui arrache sa cigarette:

«Vous êtes tous fous!»

Sa voix vibre de colère.

«C'est strictement défendu! Le premier qui fume, je le balance à l'eau.»

Puis: «Amenez vos bagages!»

Et le voici qui ouvre les sacs, dénoue les paquets, fouille les valises. À Ibrahim il enlève sa boîte, l'ouvre, la hume.

«Du kif? Tu veux nous faire prendre pour trafic de drogue, eh sale nègre?»

Il parle de tout près. Ibrahim sent cette haleine en plein visage. Puis la boîte disparaît dans la poche de l'homme.

«C'est à moi!» proteste Ibrahim.

La réponse est soufflée par le vent.

L'homme regarde longuement le ciel, lève le doigt pour tâter les airs. Il dit:

«Ça ira.»

Ceux qui viennent d'un pays de mer comprennent bien ce qu'il faut entendre: juste le temps de passer avant que ça se gâte. Le vent a faibli soudain; quand il reprendra, il sera brutal.

Le long de la vaste courbe que fait la côte autour de nous, les montagnes se fondent dans la nuit, comme des souvenirs trop lointains.

Un bruit sourd de piétinements ou de corps en lutte se répand dans l'ombre, du côté où elle est la plus épaisse. Des gens essaient de retenir l'un d'entre eux, des voix éclatent, un petit Noir malingre, demi nu, s'arrache à leur prise, se jette sur le batelier, il va le frapper de ses poings, on le contient, il se met à crier sa haine et qu'on l'a volé, qu'il a vendu sa maison, son troupeau, sa femme pour payer ces salauds, mais il s'en fout, il renonce, il rentre chez lui, il aura tout perdu, il les emmerde, le diable le vengera! Sa langue s'est déliée, voilà qu'il a pu dire ce qu'il a sur le cœur, librement, comme s'il était soûl. Mais au bout de la phrase, une peur soudain amincit la voix, il n'en reste plus qu'un filet, coulant de la bouche édentée comme une bave.

Le passeur hausse les épaules.

«Je n'ai pas de temps à perdre. Décide-toi!»

Le Noir fait oui de la tête. Il pleure. Il n'a pas de sac, rien.

«Ça suffit! On embarque! Poussez à l'eau!»

Le passeur entre dans la barque. On la pousse. Quand elle flotte, on y va, dans l'eau jusqu'aux cuisses si l'on est grand, sinon jusqu'au ventre; on se hisse à bord. Il faut porter les deux femmes. Elles n'ont pas la force.

Le passeur s'éloigne à la rame; puis il hisse sa petite voile et prend la barre. La voile godille, claque, puis se tend. Maintenant qu'on vogue, le bruit de la mer semble s'apaiser, c'est un chant très lent et grave, rythmé de coups sourds qui retentissent dans ses profondeurs. À l'horizon des regards se dessine là-bas la ligne sombre de l'autre monde.

Esquisses

La dame au buffet

Nous étions à peine une quinzaine. Les cocktails de Xavier réunissent rarement plus de quarante personnes. Il était encore tôt. Une longue planche à dessin, portée par deux tréteaux et vêtue de blanc, offrait, au fond de la pièce, la perspective d'un buffet maigrichon, jus d'orange et gros rouge, quelques plateaux de mini-sandwiches et de barquettes de fruits. Xavier dirige une petite maison d'édition, honorablement connue mais contrainte, faute de moyens, de se satisfaire de peu. Du moins Xavier sait-il entretenir, avec son personnel et «ses» auteurs, des relations chaleureuses, que l'on prend aisément pour de l'intimité. Nous fêtions ce soir-là («entre amis», précisait Xavier auprès des arrivants, inquiet peut-être de notre petit nombre) la sortie de deux livres dus à de jeunes universitaires. Les piles s'en entassaient sur deux petites tables, où elles formaient un créneau derrière lequel chacun des auteurs attendait, pointe bic aux doigts et ruminant les dédicaces à venir. Ma myopie ne me permettait de distinguer, de loin, sur l'un des volumes à plat, que le nom de «Babel», en lettres rouges.

La pièce, toute en longueur, donnait par trois fenêtres sur une rue paisible, à peu près déserte à cette heure. Située au deuxième étage, elle était le bureau même de Xavier, dont pour la circonstance on avait évacué les principaux meubles. Ne restaient guère, autour des tables, que les casiers à livres qui doublaient les murs, les dissimulant derrière ces monceaux bien ordonnés de paroles écrites. Les voix chuchotaient. Dans un moment on ne s'entendrait plus; on se distinguerait à peine dans le nuage bleuté des cigarettes. Quelqu'un rit, d'un rire sifflant de malade. Quelques couples nous avaient rejoints, leurs voix dans le vestibule annonçaient leur approche; puis on les voyait, le manteau entrouvert, car dehors l'automne devenait froid. Embrassades, serrements de mains molles, ruissellements de phrases toutes faites, crainte du vide qui pourrait se creuser, rassurants lieux communs dont la vertu est de réduire le malheur même et la mort à une suite anodine de petits maux faits pour être adoucis. Avant que le regard ne s'y accoutume, chaque nouveau visage exhibait avec une inconsciente impudeur le trait animal qu'y avait imprimé la nature, ce nez de tapir, ces yeux de chat. Parfois le trait restait diffus, hésitant. Il inquiétait vaguement par son incertitude même. Les émotions se maintenaient à fleur de terre au prix, je l'imagine, d'un ruineux effort d'indifférence: ce papotage picorait la surface de la vie. Et nous? Et moi? On avait oublié même qu'il y eût des autres.

Je m'étais encoigné dans l'embrasure d'une fenêtre, sur l'appui de laquelle s'étouffait le parfum de trois roses blanches, droites dans leur vase étroit. Je m'inclinai sur elles. Je supporte mal la fumée du tabac et l'odeur dont elle m'imprègne. Je regardais et écoutais ces gens. Leurs discours affectaient de planer très haut. Ils avaient oublié le sol qui nous porte, son épaisseur, sa tendresse. Quand mes enfants étaient tout petits, j'admirais l'attention incessante qu'à leur âge on accorde à la terre où l'on met les pieds. En grandissant on s'habitue à regarder en l'air; adulte, on ne regarde plus rien: l'idée a remplacé la vue.

Nous étions maintenant près de trente. La secrétaire de Xavier passait un plateau chargé de verres. Xavier cherchait des yeux quelqu'un ou quelque chose parmi nous, voyant à peine le dernier arrivé qui lui tendait une main généreuse et arborait le sourire fat des hommes à bonnes fortunes. À son bras trottinait une blonde aigrelette aux talons tellement aiguilles que ses chevilles vacillaient à chaque pas, et trop manifestement hantée par son désir de plaire pour ne pas agacer un mâle aussi fruste. Germain, un de mes anciens collègues, arguant d'une vieille amitié (purement mythique) entre nous, m'avait coincé, le dos au rayon Poésie, et prétendait me révéler les dessous de son récent divorce. Ce gros homme à l'haleine poussive vous faisait à toute heure les confidences les plus intimes, mais se rétractait comme un mollusque dès qu'on s'enhardissait à lui poser une question directe. Je l'écartai, sous un quelconque prétexte. Dans la rue, des lumières s'étaient allumées, répandant leur faible halo dans le crachin qui trempait la ville. La vitre était froide sous mes doigts. J'en effaçai en rond la buée. Un clochard s'abritait, accroupi, sous le porche en face; vue d'ici, la visière abaissée de sa casquette couvrait la face jusqu'à la barbe grise. Peut-être l'homme dormait-il. Un couple d'Américains venait d'entrer, héros de la semaine, objet l'un et l'autre, dans un grand quotidien, d'une double entrevue qui avait fait un peu de bruit: un gaillard aux traits vigoureux qui, faute d'exprimer autre chose que cette vigueur même, donnaient à tout l'individu un air d'effrayante dureté, envers les autres comme envers lui; dans les yeux de sa compagne, actrice de quelque réputation, une petite lumière nous assurait qu'elle se savait belle; mais rien d'autre en elle ne paraissait avoir de sens. On les entoura. Des bouches malhabiles se mirent à baragouiner l'anglais.

Xavier m'abordait:

«Jean-Marc n'est pas là?

— Il n'est pas bien tard...»

La salle s'emplissait peu à peu. L'espace entre ces corps se rétrécissait à mesure. Les épaules, les bras se touchaient. Pourtant une immense solitude séparait les êtres, mal consciente mais volontaire, comme si la seule réalité des autres était leur dangereuse qualité de porteurs de germes. Chacun se concentrait sur soi: la vie est si compliquée de nos jours... La vérité des choses s'estompait dans la brume de ces petits soucis, peut-être de ces grandes souffrances cachées. Ils se racontaient à eux-mêmes leur existence, toujours médiocre, vraie ou fictive peu importe, bien au chaud dans leur cocon de langage. Ou bien, ils en exaltaient l'infime expérience, philosophaient. Mais, sur la merveilleuse et inépuisable complexité de l'univers, toutes les pensées humaines signifient-elles davantage qu'un essaim de mouches sur un fruit mûr? Au bord de la fenêtre, les roses se penchaient sur leur tige. Un pétale tomba.

Une voix de femme, près de mon oreille, achevait un récit dont je n'avais rien entendu:

«I told him the truth, or part of it!»

Telle est bien la dureté du monde. Il n'y a plus parmi nous de prophètes. Il ne reste que le poids actuel de ce qu'on dit; le poids plus lourd encore de ce qu'on tait.

«Le voici enfin!»

Xavier feignait de rayonner. Dans l'association agitée qui le liait à Jean-Marc, ce dernier détenait l'argent, et l'apparence de pouvoir qu'il confère.

Au pied du bouquet de roses, un second pétale était tombé. Je crus en percevoir la senteur évanes-
e.

Jean-Marc serrait des mains, riait fort, de sa mâchoire de fauve. Il irradiait une grâce brutale. Derrière son masque d'irrésistible pirate, les femmes flairaient une énergie dont elles s'imaginaient volontiers avoir besoin et qu'aucun autre... Mais plutôt que de l'énergie, c'étaient d'antiques réflexes de hors-la-loi, à tout instant prêts à ressurgir chez cet homme savamment civilisé.

Il me présenta. À sa femme il disait «ma belle», en prononçant le mot comme s'il souhaitait l'apparenter au verbe bêler. La belle se nommait Aurore. Je ne prêtai guère d'attention, ni à ce nom, incongru à cette heure et en cette saison, ni au corps superbe qu'il désignait. Mes yeux venaient d'accrocher un plus fascinant spectacle. Dans l'ombre de ce couple solaire, une femme se frayait un chemin parmi nous. Elle était entrée en catimini sur leurs pas, les yeux baissés, le pied léger, comme on descend de l'autre monde. Elle portait l'invisible Signe d'ailleurs. J'eus l'impression d'abord d'être seul à la distinguer. Puis, je me rendis compte que deux, trois regards convergeaient vers elle avec le mien. Un long manteau noir l'enveloppait, usé mais seyant encore, et auquel s'assortissait, en bandoulière, un joli sac. Le dos à peine voûté, la tête en avant, parmi des effluves un peu trop indiscrets d'eau de Cologne, la femme s'en fut droit au buffet. Une longue chevelure grisonnante dissimulait les oreilles et la courbe des mâchoires.

La femme atteignit la table. Un groupe de buveurs s'y pressait, verre dans une main, sandwich dans l'autre, discutant à voix forte des enjeux de l'autobiographie. Spontanément, ces bavards s'écartèrent. Un bref silence se creusa. Du doigt, la femme désigna le jus d'orange. La jeune fille au tablier brodé qui faisait le service saisit la bouteille, emplit un verre. Ses yeux s'ouvraient sur ce visage maigre et fuyant. La femme n'avait pas dit un mot. Confusément, on comprenait qu'elle n'aurait pu même sourire. Déjà le verre était vide. Un geste s'esquissa, le verre fut rempli et aussitôt vidé. La main de la femme parut ratisser le plat de sandwiches, les doigts repliés en ramenèrent trois ou quatre, ensemble engouffrés dans la bouche qui, d'un coup de dents, les mâcha. On vit l'effort de la gorge qui déglutissait.

Dans l'appartement au-dessus de nos têtes, quelqu'un marchait. On entendait des claquements de talons féminins. Tout à coup, ce fut le seul bruit. Puis un rire étouffé brouilla le silence.

Une zone dépeuplée s'étendait maintenant devant la table: comme une scène, où se jouait cette comédie. Les conversations dispersées se rassemblaient, reprenaient leur cours, sur un ton légèrement assourdi. Dans la nuit dehors se reflétait sur un plafond de lourds nuages la pourpre sombre du ciel citadin.

La femme semblait ne pas nous entendre. Inclinée sur la table, elle mangeait. La jeune servante s'était éclipsée, à la recherche sans doute de Xavier. Insensiblement, des groupes se rapprochaient. La scène s'amenuisait. Ce n'était plus une scène — espace réservé et quasi sacral: c'était le lieu banal d'un incident plutôt grotesque. On voyait de dos la femme: ses cheveux tombaient, gras et plutôt sales, sur le col du manteau.

Xavier touchait du coude Jean-Marc, puis Aurore.

«Vous la connaissez?»

Les deux têtes hochèrent non.

«Elle était avec vous?»

Geste de mains impuissantes.

Xavier abhorre ce qu'il nomme les situations fausses: celles où il lui convient de faire montre d'autorité. Il toussota, parut, dans la lumière d'une barre de néon, pâlir.

«Madame?...»

La femme se redressa, la bouche pleine, absente.

«Veuillez m'excuser: je ne me rappelle pas à quel nom vous a été adressée l'invitation...»

La femme murmura des sons incompréhensibles, et sans doute incohérents. Elle restait plantée devant la table, qu'elle paraissait soudain découvrir. Miettes écrasées, traces de sauce, ronds de vin souillaient la nappe, au milieu des nourritures qui restaient. Xavier se retirait. Que faire d'autre? Le regard traqué de la femme l'avait bouleversé. Une stupéfaction douloureuse semblait aspirer de l'intérieur les traits du visage revêche, ces lèvres minces, tout juste rosées. Et, d'un coup, comme par une décision héroïque, sous les yeux de nous tous qui n'osions plus prononcer une parole, la main rafla prestement dans le plat les deux derniers sandwichs. Une fraction de seconde, elle hésita, puis elle se porta aux lèvres, qui engloutirent cette proie.

Çà et là dans la salle, les conversations se renouaient, un peu plus bas qu'auparavant, mais le ton ne tarda pas à remonter. Du même pas qui l'avait amenée, la femme, tête tendue au-devant d'elle, s'esquivait. Fin de l'événement. On revenait aux racines et aux buts secrets (nécessairement troubles) de l'autobiographie. Les deux auteurs du jour, ayant signé une demi-douzaine de dédicaces et désespérant de récolter plus de gloire, s'étaient mêlés à nous. Jean-Marc allumait sa pipe, en crachait face à nous la fumée qui nous imprégnait. Un critique éméché rudoyait, de sa voix de stentor, l'opportunisme mercantile de l'Américain qui, que... On identifiait mal la langue qu'il croyait parler, un anglais de lycée peut-être, prononcé à la toulousaine.

J'avais, quant à moi, regagné mon coin de fenêtre. Le dernier pétale de rose était tombé. Espérais-je de là assister à la sortie de la femme dans la rue, à sa fuite?

Je ne vis rien qu'une ombre qui se hâtait. Mais je per-
cevais encore son parfum de détresse. Aurais-je dû
descendre, suivre cette femme, serrer dans les miennes
ses mains glacées, lui offrir un repas, lui donner
l'occasion de parler de sa misère? C'était là des questions stériles: des questions d'homme heureux.

Au café

Des nuages noirs glissaient d'une extrémité à l'autre du ciel: du moins, de ce que l'on voyait de ce ciel d'automne finissant et maussade, entre les façades de briques placardées de publicité. La rue semblait désertée, elle d'ordinaire si animée le long de sa double rangée de boutiques et sous le flot saccadé de voitures, trois fois coupé de feux de circulation jamais synchronisés. Il ne tarderait pas à pleuvoir. Les bureaux fermeraient bientôt; les magasins allumeraient leurs lumières. Hommes et choses flottaient, neutralisés, dans cet entre-temps.

La salle du café s'étirait en longueur jusqu'à une fenêtre ouvrant, au fond, sur un jardinet entré déjà dans la nuit. Je m'assis, commandai à la serveuse, une rousse très fausse, mon chocolat chaud coutumier et déployai le journal que, depuis le matin, je gardais en poche sans l'avoir lu.

J'eus du mal à me concentrer sur les nouvelles qu'il me communiquait et dont chaque phrase exigeait un laborieux décryptage si l'on voulait, par-dessous le mensonge médiatique, saisir l'ombre d'un fait. À la table voisine, deux vieillards tentaient de vider une querelle aussi vieille et ridée qu'eux-mêmes.

La caisse enregistreuse tinta. Aucun client pourtant ne demandait son addition.

Bouillonnement d'eau vaporisée. Odeur de café frais. Je repliai le journal et laissai mon regard errer dans la salle. Des paysages approximatifs à l'huile ou à l'aquarelle ornaient les boiseries à ma droite. Les poutres soutenaient, d'une portée, parallèlement le plafond; elles filaient, très loin, vers la pénombre qui commençait à noyer la rue, amplifiant presque sans limite l'espace intérieur.

Au centre de la salle chuchotait un couple d'âge mûr, de part et d'autre du guéridon sous lequel, ostensiblement, se touchaient deux à deux les genoux. Personne d'autre. D'habitude les jeunes gens étaient nombreux ici, ce décor à dessein vieillot convenait à leur snobisme, le patron entretenait une atmosphère bon enfant et l'un des bâtiments de l'université s'élevait à deux pas. Sans doute les cours n'avaient-ils pas encore pris fin. À gauche s'étendait le zinc, derrière lequel un long miroir reflétait la rangée des bouteilles et le chignon défait d'une serveuse, inattentive à ce qui n'était pas son percolateur. Le garçon passait machinalement son torchon sur une table propre. Le patron remontait de la cave, s'essuyant les mains à son tablier. Je le vis s'approcher du couple chuchoteur, saluer, serrer deux mains.

Celle de la femme attira mon attention. Belle, soignée, les ongles allongés vernis d'un rose discret au bout de doigts fins et comme pointus. La peau, sur le muscle qu'on sentait ferme, se détendait çà et là, donnant par cette fragilité à la main entière une vie propre et vraie, par-delà toute apparence. Cette femme? La quarantaine sans doute. Jolie? Il le semblait, mais il était difficile de le savoir. Une beauté indéfinissable et cachée, un regard qu'on n'oublierait pas.

Un tailleur noir la ceignait sans un faux pli; aux poignets et au col en dépassait la dentelle blanche d'un chemisier encadrant le visage et ces précieuses mains comme le calice le fait des fleurs. La femme dut sentir sur elle le poids de mon regard. Elle se tourna, gênée, rougit imperceptiblement, baissa les yeux. J'en avais perçu la lumière inquiète. La lumière émanait d'une source très profonde. Mais en s'offrant elle ne se donnait pas. Un écran opaque s'interposait, rendant chacun à sa solitude. Cette femme ne m'était rien, mon intérêt demeurait bien en deçà du désir. Sans doute, en elle, une blessure ancienne... Je divaguais. Cette femme, en son âge triomphant, se voulait sage et maîtresse de soi: elle feignait d'avoir découvert la formule magique, mais n'y croyait pas vraiment.

Je repris le journal, lus un paragraphe de l'éditorial.

Le chocolat sentait bon, il était délicieux: velouté, mousseux, pas trop doux, spécialité connue de l'établissement.

La femme et son compagnon avaient, eux, commandé du café, avec une assiettée de gâteaux. Je voyais de trois quarts le compagnon — grand gros homme à voix de basse, les cheveux collés au crâne — enfourner d'un geste lourd sa bouchée crémeuse, puis se lécher le bout des doigts. Les yeux pâles paraissaient tout petits derrière de fortes lunettes de myope. L'un des doigts se hissait au verre de droite, le repoussait d'un coup d'ongle comme pour remettre en place la monture. Les joues cartonneuses tombaient sur un double fossé en arc de cercle encadrant les lèvres gourmandes. Puis le buste se redressait, coudes à la table, les deux mains étreignaient le vide à hauteur de regard ou bien martelaient l'argument. Il était évident que l'homme se complaisait à cette posture; sans doute la jugeait-il propre à faire valoir son épais physique: le contentement de soi rayonnait à travers l'énervement qui, selon toute apparence, provoquait son discours. Il leva la main, claqua impérieusement des doigts. La serveuse accourait. Elle devait le connaître, et ses humeurs.

«La même chose!»

C'était un ordre, dont le ton excluait toute réplique. L'homme n'en aurait jamais fini de se prouver à lui-même qu'il avait de l'autorité. Son regard croisa celui de la femme, le soutint un instant, mais ce fut lui qui baissa les yeux. Ceux de la femme enfin se détournèrent: des siècles de paroles non dites y étaient enfouies; leur intensité rendait vain tout autre langage.

Je tendais l'oreille. La femme n'avait pas prononcé un mot. Je la vis ouvrir la bouche. Elle allait... Aucun son ne sortit. L'intention avait suffi. L'homme continuait, traçait dans l'espace entre eux un signe que l'on pouvait prendre pour une dénégation, un accord ou un chiffre. La femme en l'écoutant penchait la tête, sa belle main sur la table s'ouvrait et se fermait alternativement — c'était un tic, ou bien symboliquement elle anéantissait je ne sais quoi, en lui, en elle, en moi peut-être, dans ce monde injuste et méchant.

La serveuse apporta les deux tasses odorantes. Dès qu'elle eut tourné le dos, la femme prestement ramassa de ses doigts effilés les sachets de sucre déposés sur la soucoupe et les glissa dans son sac. L'homme parlait toujours. La femme buvait ses paroles. Une grimace en révélait l'amertume. À petits coups réguliers, le long index tapotait la lèvre inférieure. Une question muette s'y formait. L'esprit s'était absenté, le cœur sans doute eût désiré que l'homme parlât de lui-même, d'eux; mais il parlait des choses, toujours des choses, la vie lui avait échappé. Ses doigts pianotaient sur le formica dur et froid de la table.

L'homme se tut. Il avait saisi l'addition, refaisait la somme. On l'entendit conclure:

«Dix pour cent, ça suffit.

— Avec cette taxe…» gémit la femme.

L'homme tira de sa poche un portefeuille craquelé et racorni, y prit d'un geste lent un billet de vingt dollars et s'en fut payer lui-même à la caisse.

Il revint, passant les manches de sa canadienne, une casquette tachée de sueur de guingois sur la tête.

Il l'assura, boucla le vêtement et sortit sans saluer personne.

Dehors, il pleuvait. On entendit l'averse fouetter les vitres. Une dizaine de jeunes gens trempés entrèrent en s'ébrouant, et se juchèrent avec des rires sur les tabourets du bar. La voix haut perchée d'une fille imitait je ne sais qui, un professeur sans doute; les garçons se tordaient.

Au milieu de la salle, la femme les regardait, droite sur sa chaise, élégante et nette, les yeux pleins de larmes.

Dehors il pleuvait dans la nuit maintenant close. Peut-être la femme aurait-elle voulu être une mère pour lui; mais lui ne voulait pas. Peut-être lui avait-elle tout sacrifié, comme on dit; mais lui la trompait et elle ne l'en aimait que davantage. Peut-être…

Je n'avais plus envie de lire ce journal. Je le glissai sur la table d'à côté et appelai la serveuse.

La femme s'était levée. Elle allait partir. Vers quelle soumission ou quelle révolte?

Sur le seuil, elle s'arrêta, parut hésiter. Longuement, on la vit contempler le ruissellement de la pluie. Les jeunes gens au bar s'étaient tus. On vit la femme ouvrir un parapluie.

Soudain, elle plongea dans la nuit.

Dans le métro

Station Berri. Heure de pointe. La foule a envahi le quai: direction Henri-Bourassa, loin vers le nord et les jardinets de ses quartiers petits-bourgeois — à moins d'un changement vers Saint-Michel et l'est, sa désolation, sa pollution, ses pauvres. Les portes glissent, s'ouvrent automatiquement, livrent notre espace (confiné entre les vitres épaisses et le métal qui nous parquent) à la ruée de ces visages devenus soudain réels, de ces corps tout à coup proches et d'où émanent d'aigres relents de sueur, de ces vêtures fripées par une triste journée de bureau. Femmes trop voyantes sous les tarabiscots de leur coiffure entre leurs boucles d'oreilles exubérantes, baignées d'un parfum de rose ou d'œillet pas cher, sœurs jumelles de ces doux adolescents jouant à faire peur, le crâne à demi rasé, le reste teint en vert ou en orange, jeans crasseux crevés aux genoux et aux fesses sur fond de collant rose ou violet.

Autour de nous vibre avec bruit la longue machine qui nous emporte, vibre l'air peut-être que sa vitesse froisse contre les parois du tunnel. Je ne perçois plus aucun autre son. Le mouvement de la rame malaxe la masse humaine, l'unifie dans sa banalité, sa tendresse et sa laideur. Il faudrait, pour garder cœur, s'en instaurer spectateur, refuser de s'y confondre, de courir ce risque mortel. Monté quelques arrêts plus tôt, j'ai trouvé une place assise. Cette différence me distingue. De ce siège dur (zébré de coups de crayon-feutre formant quel dérisoire blason ou quelle menace méchante?) je contemple ces faces neutralisées dardant sur le vide un regard absent, écouteurs aux oreilles, le chewing-gum entre les dents. Un panneau publicitaire m'invite à ne dormir désormais que sur un matelas Dupont; un autre, à me purger avec les pillules Martin. De souriants portraits de femmes, associés à l'annonce, me persuadent de m'y conformer.

J'éprouve du mal à détourner mes yeux de cette ineptie. Mais dans sa trajectoire voici que mon regard accroche une silhouette et, du coup, je ne vois plus qu'elle, plus que cette coupure de rasoir sous la lèvre, minuscule cicatrice d'un rouge noir. L'homme a d'abord cherché du regard un siège libre. Il n'y en avait point. Il reste donc là, agrippant de la main gauche la barre chromée verticale: les articulations de ses phalanges blanchissent dans cet effort. De la droite, il presse contre son flanc un porte-documents de plastique avachi. Une casquette de tissu écossais, jaune et vert, assortie au cache-nez, recouvre en partie la coiffe de cheveux blancs, sales (me semble-t-il) et mal taillés. Un manteau informe, de teinte douteuse, marron effacé, flotte sur le corps massif. L'homme n'est pas encore tout à fait clochard, mais il est en train de descendre la pente. Des yeux bruns, humides, protubérants comme s'ils avaient été façonnés de glaise, paraissent collés dans leurs orbites, au centre d'une face d'ancien intellectuel, épuisé.

Station Laurier, terminus de plusieurs autobus, le wagon se vide à demi. Avant la prochaine ruée, l'homme s'est assis à mon côté, touche du doigt sa visière en une sorte de salut, étale sur ses genoux le porte-documents, y passe la main d'un geste qui le caresse. Il le contemple, s'abstrait dans ce regard, comme s'il désirait s'envelopper de silence. Un double pli diagonal traverse son visage: l'âge et ses désillusions viennent de s'en emparer à l'improviste. Le visage n'a plus d'axe ni de centre, les muscles y pendent sur les os, la peau flotte.

Puis une énergie se recompose. Un bref éclat brille dans les yeux, et s'éteint. Les doigts cherchent la tirette de la fermeture; le porte-documents s'ouvre; la main s'y glisse, en ressort tenant un petit livre plat, tout neuf, dont crisse le brochage. L'homme le dépose sur le lutrin que constitue maintenant pour lui le porte-documents. Je m'efforce de déchiffrer le titre, mais la distance est un peu trop grande pour ma mauvaise vue. L'homme feuillette, trouve une page marquée d'un signet de papier sur lequel se détache le nom d'une librairie connue. Il écarte avec précaution les deux moitiés du volume, en écrase le pli médian. Sa narine aspire le parfum d'encre encore fraîche.

Il abaisse ses gros yeux et commence à lire. Les profondes rides de la face se sont creusées davantage. De l'index droit, l'homme suit les lignes. La main gauche maintient la page. Une alliance est enfouie comme la trace d'une ancienne blessure dans le muscle grossier de l'annulaire. Les lèvres remuent à la manière dont le faisaient naguère celles des prêtres récitant le bréviaire.

Un instant, la main referme le livre, laissant un doigt entre les pages. Le regard vogue au loin; nous avons cessé d'exister pour lui.

Je n'en puis plus de ne pas savoir! Je laisse tomber mon journal, m'incline pour le rattraper: ce mouvement m'a permis de voir enfin le titre.

Ce livre est un catéchisme! Et pas n'importe lequel: le catéchisme même que le vicaire nous faisait ânonner, le jeudi après-midi, il y a combien de décennies de cela, au pied de l'autel où clignotait une lampe rouge!

L'homme n'a perçu ni ma curiosité ni mon ahurissement. Il a repris sa lecture; il murmure (me semble-t-il) certains mots.

Qui est-il? Un fou? Un sacristain blanchi sous le harnais et qui ne parvient pas à dételer? Un vieux fidèle dépassé par la modernisation de son Église?

Peu importe: voici la station où je dois descendre. Mon autobus y passe toutes les dix à douze minutes.

Je me suis levé, le journal sous le bras. Les portes coulissantes se sont effacées. Plusieurs personnes entrent précipitamment à l'instant où je sors. Je heurte par mégarde une femme âgée, aux cheveux gris de fer soigneusement ondulés, le nez et les joues marbrés de poudre. Mais elle ne m'a pas vu, elle tend les bras et, d'une voix mince d'enfant, pousse un cri d'étonnement et de joie. L'homme a fermé son catéchisme. Il sourit, tend les bras à son tour; il partage, avec l'étonnement, la joie. Il désigne la place que je viens de libérer. La femme s'assied, tire sa jupe sur ses genoux. Lui se penche vers elle. Du doigt, il touche le dos de sa main droite, suit la grosse veine qu'on y voit.

Les portes se sont refermées sans bruit. Avec un souple froissement de pneumatiques, la rame s'enfonce en hâte dans le sein de la terre.

Graffiti

Il marche dans son rêve. Entre des parois carrelées de faïence blanche, le couloir s'étend à perte de vue. Au fond du regard se devine un tournant, au-delà duquel on ne voit plus rien.

Peut-être chemine-t-on dans les galeries du métro, cette taupinière rongeant le sol de la ville. On est seul. Le pas résonne, quoique l'on soit chaussé de semelles crêpe: il frappe longuement les dalles, le heurt s'en répercute au loin et creuse l'espace vide. La lumière, couleur d'urine, suinte des murs. Pas de lampes.

On avance dans la rue à sens unique qu'est la vie. Mais la rue fut enterrée profondément, il y a trop de temps de cela pour qu'il nous en souvienne. Des trains hurlants y passent parfois en éclair, sans s'arrêter, et écrasent tout de leur poids.

Personne. On marche. Le couloir se déroule indéfiniment, se dédouble, se multiplie, à chacun de ces embranchements il a fallu choisir.

À la main on tient un gros crayon-feutre, qui sur la faïence dessine un trait tantôt rouge, tantôt noir. Mais on ne s'étonne plus de rien. Chemin faisant, négligemment, on écrit. Le feutre imbibé d'encre se pose tendrement sur la matière du mur, la caresse, y glisse sans effort. On forme des mots sans suite, rouges

ou noirs, abricot amande bengali minouche trésor, il y
en a beaucoup d'autres, le réservoir des mots n'a pas
de fond. Pourtant là n'est pas ce qu'il faut écrire. Ce
qu'il faut, on le sait bien, mais le crayon s'y refuse, le
mur s'y dérobe. Les phrases s'éveillent, s'enchaînent,
virevoltent dans nos crânes exigus, tempêtent, mais
leur tumulte s'épuise avant d'avoir franchi la barrière
des lèvres et ordonné le mouvement de la main.

C'est alors que l'on se retourne. Et voici que tout
est effacé! La peur nous saisit. On se passe la main sur
la moiteur du visage; mais la peur ne s'éloigne pas.
Alors, avec colère, on prend le crayon et l'on recom-
mence, on s'acharne, on est victime d'une injustice
trop criante, agora belouse berlingot, c'est ce que les
doigts veulent écrire mais les lettres renâclent à prendre forme, des bavures rouges et noires souillent le
mur absurde alors que maintenant c'est un désespoir
qui nous étreint. Il faut dire! dire quoi? Peu importe.
Il faut absolument qu'un autre au moins le dise pour
nous. Mais il n'y a pas d'autre.

Il faudrait mourir d'abord: maintenant on le sait.
On se serre la tête à deux mains pour calmer les monstres qu'elle enferme. Peut-être est-on déjà mort?

Du fond de l'être n'émerge aucun souffle. Hors
d'haleine, on ouvre grande la bouche; en vain: on est
un poisson pris au harpon de la destinée, agonisant à
jamais muet. Sur les murs blancs, les lettres ont disparu, les traits, les taches mêmes, rouges ou noires.
On gonfle la poitrine, on se ramasse en un ultime,
épouvantable effort. Enfin l'appel va jaillir.

Il ne jaillit pas. Un arrachement atroce nous déchire, ravage cette face pantelante. On n'a plus de
lèvres, plus de dents. On titube à l'extrême bord du
temps présent, sans qu'on ose baisser les yeux dans
l'abîme vertigineux de ce futur.

Le père

L'avais-je connu vraiment? Mon père. Ce mort
cloué dans le cercueil sous le drap noir. La voûte bla-
farde du ciel de novembre au-dessus du petit cimetière. L'odeur des feux de feuilles mortes. L'église. Le
glas. Mon père. Son air d'employé modeste, le style
convenu avec lequel il parlait de son «foyer» leur
faisaient à tous illusion. Pas à moi, qui tenais de lui
plus que la ribambelle des autres. Il entrait dans de
grandes colères, aux confins de l'éclat de rire, me con-
voquait pour un sermon, face au fauteuil de velours
grenat, horrible, toujours le même, trimballé de pavillon de banlieue en pavillon de banlieue dans cette
existence de nomades besogneux. Croisant les jambes
d'une manière affectée à mon entrée, il jouait au père.
Il disait: «Mon grand.» Le cœur me fondait. Dans sa
jeunesse, pas si lointaine, il avait été le premier moto-
cycliste de son village: comme qui dirait un astronaute.
Ma mère avait coupé court à ces exploits. Ma mère
avait à la fois toujours froid aux pieds et besoin d'air,
parce qu'elle aurait tellement voulu être ailleurs mais
avait trop peur d'elle-même, attachée à cet homme
par les liens les plus forts et les plus humbles, ceux de
l'habitude et de la pitié. Et maintenant que les croque-
morts m'avaient fait jeter la première pelletée de boue

sur mon père, je savais que ce petit-bourgeois aux complets étriqués avait été un mâle solitaire et libre, écrasé par nous, accrochés à lui comme un bagage trop lourd. Un instant, il s'était tenu devant moi, debout, pendant des millénaires, devenu rocher. Puis, d'un coup, il était parti.

Rencontre

Dans le reflet d'une fontaine où je me penchai pour boire, je t'ai vue. Pourquoi moi? Pourquoi toi? Les brebis ruminaient en haut d'un pré embué sous un vieux mur de pierres amoncelées qu'escaladaient de longues tiges de volubilis aux couleurs de quel roi, de quel duc, dans le royaume où j'entrais sans savoir, ce terroir sans gabelous ni frontières, paradis paradant sous nos yeux fatigués après tant de haltes aussi vaines que celles de pèlerins ayant perdu la foi?

... Toi, par-delà quelle volonté d'oubli? La fontaine reflétait tes épaules, ta chevelure, ta bouche altérée qui s'entrouvrait. L'air tiède de midi s'embaumait de ton parfum, de l'aigreur légère d'une sueur...

Tu dis: «Je dois rentrer.» Ces pauvres mots portaient des significations sans nombre, mieux valait les prendre en bloc, ils se décanteraient d'eux-mêmes, ils avaient l'avenir pour eux. Entre les yeuses le sentier frayait son lacet. Sous le soleil trop de vêtements recouvraient nos corps, mais une nudité naissait de cette lumière, nous plongions dedans. Tu te taisais. Tes pensées traversaient les plages bleutées du silence, très haut sur les sapins des crêtes. Plus de cris. Le monde se résorbait dans l'intérieur, où les fils se nouaient. Bientôt tout serait fini. Où rentrais-tu? Dans l'inconnu d'où venait de surgir ton image liquide, effacée de la fontaine dont s'étaient écartés nos pas?

Alors, voici que je m'éloignais dans mon désir jusqu'au point où tu tournais en rêve, devenais le lieu d'un regret, pis, d'un espoir. Tu le savais et, de toute ta force de femme, rejetais ce statut imposé, refusais d'être un rêve comme tu refuserais d'être un objet. Il avait suffi de cet instant irrécupérable. On ne le rattraperait pas. Parfois, l'un face à l'autre, à l'abri de la tenture au-delà de laquelle vagirait un enfant nouveau-né, à la fin d'un long jour inutile, une paix semblerait tomber entre nous, un lac d'eau limpide où nous baigner ensemble. Ce serait là un autre rêve, qui ne durerait pas.

❏

Le temps ne touche pas à tout, il tâte en vain de ses mains avides la zone intacte où veille, à l'insu peut-être d'elle-même, celle qu'on aime et qui n'a pas changé. C'est là l'essentiel et, s'il reste bien caché (on ne le sait que trop), il vaut la peine d'en entreprendre la quête.

Tu ouvres les yeux dans la chambre endormie où le sommeil pourtant ne vient pas. Tu regardes les rideaux s'assombrir puis progressivement s'éclairer à mesure que la lune se couche et que se diffuse une aube, portant le jour sous son voile, comme un corps saint. À côté de toi, elle, dans le lit sans limites et néanmoins toujours trop étroit. Notre histoire bruit comme cette nuit d'été de raclements, de râles, de claquements de trompette faussée que jette un hibou, immobile au fond de ses yeux grands ouverts; tu perçois un aboiement isolé, et tout à coup cette profondeur sans mesure. À chaque instant le monde est parfait. Mais le passé n'est pas un présent dépassé: c'est quelque chose de perdu, que jamais l'on ne posséda, et qui peut-être n'exista point.

Deux sœurs

Elles avaient douze ou treize ans. Elles étaient jumelles. On leur mettait pour les reconnaître un foulard à l'une rouge, à l'autre bleu. Parfois, elles les échangeaient, plaisamment ou par ruse. Dans la pénombre de la salle, mal éclairée par l'unique lampe, on ne les distinguait plus. Le bois de l'antique maison, après le grand feu du jour, exhalait avec des craquements sourds la tendresse de la nuit d'été. Ou bien, en décembre, se froissait silencieusement contre lui le rideau mouvant de la neige soyeuse, interminable. Plus bas, par-delà les sapinières où écumait le torrent dans son chaos de rocailles, somnolait le village. La rumeur du torrent étouffait tous les bruits. Pourtant, au village, des chiens aboyaient, des hommes, des femmes s'interpellaient, avec gentillesse ou colère. Seule la cloche de l'église parvenait de temps à autre jusqu'ici, quand le vent ne soufflait pas d'en haut, chassant vers la plaine l'appel de la messe dominicale ou le glas d'un nouveau mort.

Durant les matins de printemps, la Rouge passait des heures assise à la fenêtre de l'étage, sous l'auvent, sans mot dire, le visage enfoui parmi les géraniums de la mère. Elle se grisait de leur parfum poivré, passait longuement le doigt sur leurs feuilles rêches. Puis son

regard se levait sur le poudroiement blond de la vallée, l'oreille captait les sonnailles lointaines d'un troupeau, le heurt caillouteux d'un pas qui grimpait la
sente. La Rouge alors se dressait, se penchait au-dessus
des fleurs, tendait le bras. Une brise s'engouffrait dans
sa manche. Derrière la haie du clos, on entendait la
Bleue éclater de rire au milieu des garçons: elles
avaient quatre frères. On la savait, troussée jusqu'à ses
cuisses enfantines, qui caracolait avec de grands cris
sur le tronc abattu jadis par l'aïeul et resté là, tout gris
de tant de saisons passées, qui leur servait à la fois de
banc, de cheval, de navire: leurs jeux n'avaient pas de
fin. La Rouge souriait: non à ces images-là, mais à un
amour futur. L'amour peu à peu se revêtait de visage.
Il n'avait pas d'yeux encore, ni de voix.

Et voici que, le soir du grand orage, parmi les ca-
taractes de la pluie déchirée d'éclairs et les gronde-
ments terrifiants répercutés par la montagne, jaillit
soudain d'entre nous, comme un éclair vivant, la
Rouge. Dans une course folle, elle traversa la salle et
ouvrit toute grande la porte qui claqua sur ses talons.
La Rouge se lançait au-devant de cette furie, sans
raison, avec la joie infinie et confuse de mourir pour
quelqu'un, par quelqu'un, en sa présence désormais
indubitable.

L'aïeul hochait la tête. Il en avait trop vu dans sa
longue vie pour croire à de telles passions.

Rêve

Dans le ciel froid, couleur d'acier, les sapins grandissaient, gigantesques. Le jour mourait. Nous étions de trop sur la terre. Il suffisait d'un coup de vent tiède, et des bourgeons, prenant ce souffle d'octobre pour le printemps, perçaient à l'aisselle des rameaux. Puis ils gelaient. Je marchais dans le sous-bois, parmi de chaudes senteurs de plantes décomposées. Elle me précédait de plusieurs pas, sa silhouette se découpait entre des buissons où les gouttelettes du serein perlaient de fines toiles d'araignée. Des feuilles de hêtre jonchaient de leur rousseur le sol entre les troncs nus: par-dessous, d'autres feuilles avaient déjà pourri. Entre les hautes branches filtrait la lumière mystérieuse et hostile de la lune qui, je le savais sans la voir, était pleine. Plantes et bêtes retenaient leur respir. Nous allions, seuls au monde, étreints par le silence cotonneux de la nuit.

Elle avançait toujours, droite et fine, nappée d'ombre. Je la suivais. Peut-être allait-elle ralentir, s'arrêter, m'attendre, me prendre la main pour m'emmener dans un pays de merveilles, par-delà nos pauvres secrets?

Jamais je n'avais fût-ce entrevu son visage. Avait-elle même un visage? Mais voici qu'elle se retournait:

ses deux mains déployées recouvraient la bouche, les joues, les yeux. Ce geste manifestait notre effroi: il signifiait à quel point nous sommes solitaires, impuissants contre ce qui s'en vient. En lui se figeait un antique appel, la mélopée muette de tant de tendresses incommunicables, de loyautés, d'espérances: tout ce dont était fait le passé.

Elle reprit sa marche. Le sentier se redressait. Des ornières le ravinaient, on trébuchait sur des têtes de roc. Nous gravissions les contreforts d'une montagne élevée. Peut-être remontions-nous vers l'enfance; vers la naissance; avant même, avant d'avoir été conçus, avant les premiers baisers de ceux qui nous engendrèrent, forme informe latente dans leur désir; et maintenant là, lissés à l'intérieur de notre peau, refermés, durs comme deux galets roulés par la marée. La grande fraîcheur nocturne de la montagne fouettait nos visages. Nous marchions dans cette paix. Cette paix était mensongère; mais pendant un bref instant il sembla qu'un bonheur nous était donné.

Cependant le sentier s'était rétréci. Il se réduisait à une rainure à peine plus large que nos corps, entaillant en diagonale une pente vertigineuse. Plus haut, plus bas, s'étendaient des pâturages d'herbe jaunie, écrasée comme après les neiges d'hiver, et que l'on savait glissante, peut-être mortelle. Puis il n'y eut plus d'herbe: la montagne devenait bloc de pierre. Au-dessus de nous luisait la tranche d'un glacier. On entendit hoqueter le torrent. Au loin, tout en bas, il formait une rivière qui serpentait à travers la plaine. Des champs pas encore moissonnés blanchissaient sous la lune.

Un nuage engloutit la lune. Le monde fut un trou noir. Puis, une à une, scintillèrent des étoiles. Leur clarté coulait en nous comme une eau vive. À mesure qu'elles s'approchaient de notre œil se brouillait le fond obscur du ciel.

Le sentier ne cessait de se rétrécir. Qu'allions-nous faire? Elle semblait ne point s'en rendre compte. Soudain, à peu de distance derrière nous retentit le signal d'un klaxon... Une auto! Aucun reflet de phares. Le klaxon répéta son appel. La peur me prit. Un danger rôdait autour de nous, comme une bête méchante. J'avais cessé d'être moi; et elle, elle. Elle en moi. Je nous voyais l'un et l'autre: j'étais distinct, séparé, cruel. Où nous abriter de cette voiture qui fonçait sur nous? Devant moi, la fine silhouette noire ne se hâtait pas. Ne percevait-elle pas la menace?

Mais il n'y avait plus de chemin. La montagne était une pente abrupte de roc brunâtre, grumeleux, souillé de plaques de lichen. Lentement la pente raidissait. Que ferions-nous, à la verticale? Je voulus appeler. Aucun son ne sortit de ma gorge. Nos pieds trouvaient à tâtons des anfractuosités où poser les orteils, le talon. Une main courante, faite d'un câble aux effilochures rouillées, était vissée à notre gauche. Je la saisis. Deux pas plus loin, elle prenait fin. Sur la vaste plaine s'accumulait une épaisse brume bleu-noir. Elle montait, rampait le long de la paroi rocheuse, pesait sur elle à la manière d'un monstre visqueux, tirait vers nous sa langue.

La fine silhouette devant moi se confondait dans cette ombre trouble. Je la vis pourtant s'arrêter, se tourner vers moi, le visage restait plongé dans l'opacité impénétrable. J'entendis la voix aimée, dont rien encore n'altérait le timbre ni l'harmonie:

«Dis-moi donc adieu.»

Je balbutiai:

«Mais je te reverrai un jour...

— Tu ne me reverras jamais.»

Elle repartit. La nuit l'enveloppa comme un linceul. C'était fini. Plus rien ne pouvait nous retenir. Nous allions tomber. Nous serions déchiquetés par les arêtes aiguës du roc. Nous aurions mal, très mal.

Le vieux prof

Ils nous assiègent, leurs regards nous percent. À la conquête, sans le savoir, d'une autre vie, ils partent inconscients du piège que nous leur tendons — n'en flairant, de leur lucidité sans illusion, que l'apparence la plus grossière. Mais que leur importe, nageant à la crête de cette vague démographique (comme on dit) qui dans si peu d'années s'écrasera en une marée de vieillards? Ils s'apostrophent, vaticinent, s'entre-déchirent au milieu de l'indifférence générale, du conformisme sans cesse reconstitué autour d'eux et que la misère même des temps fortifie plutôt qu'elle n'en fait éclater l'imbécillité. Que leur reste-t-il, que de nous bousculer au passage, poubelles de l'histoire, et de plonger jusqu'aux mollets dans cette ordure? Disant non, et les échos de cette unique syllabe en nous qui n'en connaissons pas le sens, en moi, en tant d'autres qui un jour crurent saisir dans leurs papotages une idée qui paraissait grande, la promesse d'un envol... L'idée fut déçue, à qui la faute? un enlisement remplaça l'envol. Il fallut bien se rabattre sur des succès plus faciles, plus modestes, plus sûrs et l'on fait le premier pas sur la pente qui glisse aux petits orgueils sordides.

Et me voici, de jour en jour cerné par ces quelques dizaines d'êtres incomplets que j'ai, paraît-il, la responsabilité d'«instruire». De quoi? De moi? D'eux-mêmes? Quatre-vingts pour cent de filles, salvatrices de la culture qu'on appelle libérale comme le furent les moines du haut Moyen Âge, petites Minerves casquées de cheveux de femmes, parmi les fleurs d'un corps tout juste éclos, dressées contre le fond de la salle de cours, contre le fond de leur enfance, neuves, fraîches, et bientôt, d'un semestre à l'autre, guettées par leur féminité dévoreuse. Moi, je reste, mes filets crevés dans le poing, au bord de leurs générations fluentes, sûres d'elles-mêmes malgré tout, zigzaguant tête haute sous leur revêtement de nonchalance ou d'hostilité, dans leurs relents d'*after-shave* et de désodorisant qu'elles prennent pour l'air du large, si différentes de ce que nous fûmes, nous refoulés aujourd'hui au pied du mur terminal, trop éblouissant pour qu'on en supporte sans peine la vue.

On se retourne, on regarde derrière, et on les voit: graves, avec leurs mains pleines de jouets brisés, si sérieux dans leur bohème et leurs doutes, trop sérieux parce que sevrés de certitudes et qui se pressent en groupes sauvages et sans défense, essayant maladroitement, dans leur nuit encore privée d'aube, de se faire un monde où avoir chaud. Quelle peur ils doivent ressentir! Mais ceux dont ils tiennent le jour, ce jour gris scié d'éclairs, ceux-là furent deux pour les faire, et là réside, avec la plus haute connaissance, le seul avantage que nous ayons sur eux: l'expérience d'une fécondité commune. Eux l'ignorent et, distraitement, m'écoutent pérorer sur mon estrade, sans deviner quelle présence me presse, qu'avec effort je tente en vain d'écarter, usé soudain, criant grâce, mais eux comprennent autrement les mots, rient à ce qui leur semble si drôle et m'abandonnent à la solitude avec ma fausse gaieté blessée et stérile.

D'année en année les auditoires changent; au mieux, ils m'épingleront un jour, au temps inutile des souvenirs, parmi les images de deux ou trois saisons de leur jeunesse. À mes pieds immobilisés s'écoule leur fleuve. Et moi, que suis-je? sinon ce rocher qu'ont basculé sur la rive les débordements d'un passé perdu. Glissent dans mon regard leurs ondes impénétrées: il leur faut du temps pour en traverser entièrement le champ, telle est ma seule puissance, même si des contre-courants se créent et çà et là, sous les ombrages, un peu d'eau stagne un moment, s'étale, s'offre à moi comme la tentation d'un miroir.

Au diable les idées et les pièges qu'elles nous tendent, et le pire d'entre eux, la Raison! Nos chaînes aujourd'hui s'allègent en apparence; il suffirait, semble-t-il, d'un si faible effort pour les rompre, les distendre au moins, sans heurt, un jour elles casseraient d'elles-mêmes. Nous en sommes loin. Personne ne nous enseigna comment arracher cette armure de concepts, de prudences logiques, de retraites capturant l'intelligence? Ceux qui tiennent en main le moteur secret de nos discours ne cessent d'invoquer une Loi, une pensée, les signes langagiers d'une appartenance. Mais la langue, c'est plus que les mots, plus que la Loi même et que leurs mandarinades.

J'ai connu jadis un vieillard modeste et droit, spécialiste de la géographie de l'Amérique du Sud. Les circonstances l'avaient empêché d'y jamais mettre les pieds. Cela ne freinait ni son enthousiasme ni son appétit de lecture: son plus grand bonheur, c'était quand l'un de ses élèves, lui, partait là-bas. Peut-être que je ressemble à cet homme. C'est pourquoi sans doute au fond de notre nuit se crispent mes doigts sur ce rien, l'ultime débris d'un héritage de certitude et d'amour, dernier gage d'une histoire un peu trouble et pas tout à fait consciente d'elle-même, mais qui nous a faits. Derrière moi, beaucoup d'autres sont morts. Sans trop y songer, soufflant sur leur cendre, j'ai rallumé en moi leur feu. Il faut qu'il me brûle. Nul ne le saura, tandis que je poursuivrai cette marche de toujours dans le labyrinthe, sans fil d'Ariane, vers la chambre de verdure où la Belle au Bois a fermé les yeux.

Le passant

Il marchait dans une ouate de silence. Le feuillage translucide des noyers projetait sur le chemin une grille d'ombres légères. Soudain une étincelle de soleil frappait l'œil comme une piqûre de feu. C'était un glorieux matin d'août. Au revers des tonnelles les capucines n'avaient pas encore perdu leurs fleurs. Contre le mur le long duquel il avançait, la vigne vierge écartait, noires, brillantes, les grappes grêles de ses baies entre les feuilles dont l'une, çà et là, virait au pourpre.

À l'angle du mur, il déboucha dans la grand-rue. Il y faisait plus chaud: la journée peut-être serait torride. Peu de voitures passaient; on ne les remarquait que mieux: elles surgissaient brutalement du néant auquel il tournait le dos. Des gens allaient, dans les deux sens, allégrement, des femmes au cabas, un vieil homme à canne blanche. Aux fenêtres ouvertes entre les boutiques, d'autres gens regardaient, les coudes reposant sur le coussin de l'appui. Ils achevaient de goûter la première fraîcheur avant de s'enfermer pour le reste du jour. Amicalement, ils faisaient un geste de la main. Leur sourire lui parvenait d'un lieu très lointain, à travers un espace immense et creux. La bouche des gens remuait.

Le soleil ne tarderait pas à franchir la ligne des toits les plus proches. Il éclatait dans l'échancrure d'une rue latérale, ruisselait sur les façades, enflammait la brique, étincelait aux carreaux. À cent pas devant l'homme, deux gamins sortirent en courant de la boulangerie, l'un poursuivant l'autre, leur miche sous le bras; d'autres surgissaient des seuils, la bande cavalait en se bousculant, silencieusement, vers la place. La boulangerie, derrière le rideau de ficelles, exhalait sa chaude odeur de pain.

L'homme ne gardait, ne voulait garder mémoire que de beaux étés drapés de leur parfum de lavande, en longues plaques mauves entre les châtaigneraies qui plongeaient jusqu'au ruisseau, là-bas. Ce passé de lumière noyait l'impureté des jours et se projetait en avenir sans fin... Sans fin? Manière de dire. Chaque instant est une fin. Bouffée épicée du chèvrefeuille épanoui au portail du notaire. Comment le leur faire savoir, à eux tous, présents-absents, en deçà d'une telle cloison de verre?

Solitaire, il traversa la place du marché entre les étals de fruits d'où les marchandes, d'un geste doux, éloignaient les guêpes. Sa main dans la poche rassembla une poignée de pièces, le prix des trois grosses poires qu'il achetait. À la terrasse du *Rendez-vous des amis* s'attablaient les premiers buveurs.

Les platanes au chevet de l'église abritaient des jardinets saturés de lumière. Il s'assit sur le banc de pierre tiède adossé à la muraille, ouvrit le sac, mordit dans l'une des poires. Lentement, à petites bouchées, il en savourait la tendresse, voulait n'être plus que bouche et goût. En vain. Sous le banc somnolait un gros chien brunâtre, le même chaque jour à cette heure en ce lieu, obstinément fidèle comme les très vieilles bêtes. L'homme s'inclina, passa le doigt dans la toison rêche. Le chien s'étira, leva le mufle, le posa sur

le genou de l'homme. Le regard humide du chien signifiait: «Je t'aime.» Un pauvre chien sans race, aux
poils collés en mèches sur les flancs, lourd et bon.
Sous la main, la fourrure avait l'épaisseur du feutre.
Longuement, la main s'offrit à la langue râpeuse. La
main non plus ni ce contact ne comblaient... quoi? La
vie soudain raréfiée, dans la splendeur, bientôt, de
midi? Midi, qui sortira de la terre comme une sueur.
Les narines captent avidement les senteurs diffuses qui
l'annoncent.

L'homme a repris sa marche. Les mûres aux ron-
ciers noircissent, la chicorée dans les fossés ouvre sur
le passant ses petites corolles au regard intensément
bleu; au bout des ramilles, le gaillet tend ses minuscu-
les ombelles blanches, la véronique s'humilie à ras du
sol, un bourdon au gros ventre brun flaire le trèfle des
prés, mêlé d'herbes folles, jaunes ou violettes... Le
chemin coupe à travers le val, vers la grand-route longeant le bois. Des taches de rouille semblent y ronger
la masse d'un verne ou d'un hêtre. Des gens croisent
l'homme, sans bruit, du haut de leur tracteur ou
d'une mobylette, saluent, se hâtent vers leur repas et
l'ombre de la sieste. Le ruisseau frémit sous la plaque
de béton qui l'enjambe. L'eau peu profonde joue
entre les cailloux avec les reflets mouvants du jour. Il
fut un temps, jadis, où le murmure des eaux signifiait
une harmonie, la plénitude des choses. Infidèles, in-
grates choses. Entendre le mot secret qu'elles pour-
raient dire... Entendre.

Il marche maintenant sur la route, en plein flam-
boiement de midi. La route est dure et sûre. Les semelles la frappent avec confiance. Pourtant aucun pas
ne résonne. Rien ne parle à l'oreille. Aucun aveu. Le
monde a froid.

Médiévales

Le dernier empereur

Trois vieilles aux mèches blanches, fagotées de bure, piaillent sur le seuil noir de la cuisine, d'où s'exhalent des vapeurs. Nos anciens ont maçonné la cuisine à l'écart de la longue baraque de bois où logent les serfs domestiques, loin de ce qui nourrit les incendies. Un chien aboie, efflanqué, le mufle tendu, sans oser avancer d'un pas. Sa fourrure jaune frémit. D'autres, invisibles, répondent. Derrière les écuries, dont le bâtiment ferme la cour, le marteau du forgeron bat un fer.

Les nuages matinaux filent vers le sud, très haut, loin par-delà l'épaule des collines. Le ciel devient bleu de glace. Une ombre glisse du porche, s'étend légère sur les dalles. L'éclat du soleil éblouit soudain. Le moine tire sur les yeux sa capuce. Les sandales claquent à coups précipités. Au pied de la tour qui garde l'entrée, le guetteur hale à pleins bras la corde. La cloche tinte, aigrelette dans l'air gelé.

Le moine se met à courir, escalade deux à deux les marches du perron menant à la grand-salle qu'on nomme le palais. Il a bâclé son office. Dieu sait. Dieu est juste. Mais une angoisse envahit les hommes. Comment comprendre les voies de la Providence? Le moine est de ceux qui, depuis trente ans, par leur dévouement aux empereurs et par leur science, ont soutenu l'Empire: moins l'Empire, peut-être, dans sa pauvre réalité quotidienne, que l'idée de l'Empire...

Là-bas, les battants du portail de la cour s'ouvrent sous la poussée. Déjà deux chevaux piaffant foulent la neige, la robe piquetée de poudre blanche. Les cavaliers casqués de cuir sautent à terre, lancent aux valets leurs brides. Dans un épais froissement d'ailes une poule effarée s'enlève jusqu'au faîte de l'étable et se met à chanter comme un coq. Des hommes courent, poussant des cris d'insulte à cette bête dénaturée, ils lui tordraient le cou, on a bien besoin d'un tel présage de mort! À la crête du mur d'enceinte un freux aux reflets pourpres croasse, puis s'envole lourdement. L'un des chevaux hennit, tournant sur lui-même, babines retroussées sur de longues dents jaunes. Les aboiements n'ont pas cessé. Les mâtins du village, au creux de la clairière, plus bas, se joignent de loin au concert de nos dogues et de nos barbets. Leur clameur irascible emplit le ciel.

Les voix s'interpellent sans douceur. Ces gens aussi ont peur. Chaque jour procure sa ration de mauvais bruits. Peur de simplement n'y rien comprendre. Le fil des coutumes semble rompu. Dans la forêt, tout autour de nous, les sapins ont perdu leur neige du côté d'où vient le vent. Leur ombre tache de mauve la blancheur de la terre. Les deux inconnus, sous leur visière, l'épée ceinte, l'air méchant, s'approchent du perron sans nous voir. Messagers de malheur. Des clercs descendent les degrés au-devant d'eux.

Un silence tombe. Même les chiens se sont tus.

❑

«À cette heure, ils y sont», grommelle le barbu.

Il pose sur son compagnon des yeux gris de lichen, aux pupilles vitreuses. Ils chevauchent en file, sur deux rangs, la vingtaine d'hommes armés qu'ils sont, enveloppés dans leurs pelisses d'ours ou de loup. Les bêtes boitillent dans la neige fraîche, parfois glissent sur le sol gelé en dessous. Ce sont de solides destriers, achetés par le prince Arnulf à des maquignons de Neustrie et payés de beaux besants tirés de la cassette du feu roi. Celui qui ouvre la marche bute, s'ébroue. Des armes s'entrechoquent.

«On l'aura», conclut l'homme.

Les éclaireurs qu'ils ont dépêchés aux gens de l'Empereur, sous couleur de message, les précèdent de plusieurs heures, d'un jour peut-être. Ils les auront rejoints avant la nuit.

L'épée bat la jambière au rythme lourd de l'avancée. Les chevaux luttent contre cette poudre blanche et molle; leurs sabots sentent mal le chemin. En queue de cortège, deux mules bâtées trimballent nos bagages, sous la trique des valets. Les hommes ont suspendu à l'épaule leur écu; à l'arçon, l'estoc. Ils marchent dans un froissement de métal. Quant au prince, il porte en cimier sur son casque la hure encore sanglante d'un sanglier mâle qu'il a tué.

Le vent cingle le visage, étreint le front. Une carapace de givre habille les troncs. À côté du prince chevauche la belle Uta, non sur une haquenée comme ont coutume de voyager les dames, mais sur un étalon blanc qu'elle monte à notre manière et qu'elle tient ferme entre les cuisses. On en plaisante, mais en secret: ouvertement, on y perdrait la vie. Uta ne pardonne pas, ni le prince qu'elle a enjôlé. De la fourrure qui l'enveloppe n'émergent que les yeux noirs, la bouche aux lèvres épaisses, les joues soyeuses rougies par le froid.

Il faut traverser le bois, redescendre jusqu'au fleuve, remonter. Pas d'autre voie. Le prince nous encourage, rit, parle de terres et d'or. On sait qu'il veut l'Empire. Il l'arrachera au gros Charles, l'indigne. Il a pour lui l'énergie, la force, et aussi, quoi qu'en disent les clercs, quelque droit!

«Allez!»

Quand le prince rit, l'un de ses yeux se ferme. Une double ligne de hêtres dessine dans le regard une longue allée irréelle au fond de laquelle le ciel semble s'affaisser et le monde se rétrécir, dans la majesté de cette absence de bruits. Puis, la piste s'incline. Soudain, le regard plonge dans l'échancrure d'une rivière: jusqu'à l'horizon moutonne sous le vent l'immense fourrure brunâtre de la terre, cette terre qui sera bientôt à nous. Des nuages se soulèvent là-bas, comme des paupières, sur un morceau de firmament vert, très pur, infiniment lointain, et sur un pan de colline rocheuse, nue dans le soleil blanc.

Les sabots de nos montures creusent la neige de menus abîmes où scintillent d'intenses lueurs bleutées. La forêt n'a pas de limite, trop profonde ici pour les boisilleurs. Entre les hêtres une broussaille menace de part et d'autre la sente, emmêlée de ronces inextricables, hérissées de longues épines recourbées. Puis la sente s'efface tout à fait. On doit se tailler un chemin à l'épée dans cette masse.

Le cheval du barbu a bronché.

«Où nous mènes-tu?» crie l'homme.

Il s'adresse au prince Arnulf, qui bravement peine en tête de la colonne, avec la femme et son écuyer, hachette au poing. La barbe a rongé le visage de l'homme, l'engloutit comme un lierre les très vieilles demeures, ne laisse libres que les deux lucarnes des yeux. Par là seulement, l'homme peut exprimer les sentiments heureux qui le hantent. Le prince les égare, sciemment peut-être. Il est trop grand, trop fort, aussi brutal et rusé et taciturne et plein de mystère que les êtres invisibles qui, rôdant dans cet étouffant désert, nous guettent en murmurant leurs maléfices à travers le frémissement des ramures. Mais que faire, depuis qu'ils nous ont contraints à renier les anciens dieux? Et cette femme, là devant nous, cette sorcière...

L'homme stoppe, les rênes ramassées dans le poing. L'encolure haut relevée, le cheval hennit. Des croupes se heurtent.

«Explique-toi donc!» gronde l'homme.

Le prince fait face. Le hure de sanglier, sous l'effort, a glissé du sommet du casque vers l'épaule. La dignité s'effrite. Ne reste que la force massive de ce soudard, de ce faux prince qu'il y a six ou sept ans, les nobles de Bavière, à la mort du roi Carloman, écartèrent du trône pour bâtardise! Lui ne renonce pas, prêt à tout et d'abord à nous faire périr, à cause de cette gouttelette, pas très pure, dans le sang de ses veines qui lui vient du grand Charlemagne, l'Empereur de légende dont à chaque croix de chemin des chanteurs aveugles psalmodient l'épopée.

Uta, la femme, se retourne sur la selle, le regard glacial, la bouche tordue par le mépris.

«Où il vous mène, tu le sais», dit-elle de sa voix sourde.

La main plonge dans le pli du manteau, à l'emplacement du cœur; elle en tire un coutelas de chasse. Lentement, Uta le dégaine. La lame luit.

«Tu as choisi de le suivre... Ou bien?»

Puis elle se détourne et reprend sa lente chevauchée. La main du prince se tend vers elle, comme pour une caresse.

Les hommes rient. On connaît le barbu. Râleur, mais le plus acharné dans cette quête de profit et de gloire. Il tint un château, naguère, tout au bout de la Saxe obscure, dominant la rivière où finit l'Empire et où l'on voit, sur l'autre rive, se baigner nus des Slaves cruels et païens. Son château, le nouvel Empereur le lui a pris, pour en honorer l'une de ses créatures.

L'homme jure, d'une voix tonnante. Il blasphème. Personne ne distingue les mots. Et soudain:
«Vive le prince!»

Les rires cascadent. Voici que s'écartent les ronces
et que se reforme la piste. Les chevaux, d'eux-mêmes,
prennent le trot. Les hommes se rapprochent, en pe-
loton serré. Le prince entonne un chant de guerre
très ancien, qui parle de Wotan et des héros passés.

Eux lui ont prêté serment, et chacun d'eux à tous
les autres, ayant échangé rituellement leur sang. Rien
ne tranchera ce lien que la mort. Déjà en Bavière, en
Thuringe, partout, même dans les pays welches, se
nouent des conjurations comme la nôtre. Ne manque
plus qu'un chef. Tous finiront bien par comprendre
que c'est celui que nous suivons.

La forêt est devenue moins dense. Une froide
lumière y pénètre, le ciel entre les cimes bleuit. Le
chemin descend tout droit, maintenant, en pente
raide. Au-devant de la troupe s'avance là-bas une
silhouette encore indistincte. Les hommes ont tiré
l'épée. Quand ils voient mieux, ils se taisent, freinent
leurs bêtes. À cent pas, l'autre s'est arrêté et, sous ses
haillons, les contemple. Son crâne luit de sueur, couronné par la tonsure: l'un de ces ermites galeux
comme on en rencontre, logeant dans un arbre creux
et nourris de miel sauvage.

«Approche!» crie le prince.

L'homme s'approche. Il est là. C'est un très vieux,
à la barbe blanche et clairsemée, pleine de nœuds.
L'homme tremble. Il voit la femme, hésite, se signe.
La voix du prince s'adoucit, pose une question, calme-
ment, on l'entend à peine. Le vieillard bredouille une
phrase, puis une autre.

On a compris. Que l'Empereur soit malade, chacun le sait. L'Empire entier le sait, depuis deux ans:
depuis que, honteusement, il a, lui jadis si brave, fui

les Vikings sous Paris et décampé du mont Martre après leur avoir versé sept cents livres d'argent! Un empereur, ce pleutre? Son corps a flanché, disent les clercs, sales hypocrites, pas son âme. D'autres prétendent, autre conte, qu'il eut en songe une vision de l'enfer et en perdit soudain la raison. De toute façon, place à nous! «... très malade», pleurniche l'ermite. On l'amena, l'Empereur, voici vingt ou trente jours, en litière, au pas des hommes qui la portaient. Ils avaient marché trois semaines. Deux en étaient morts, à cause de l'hiver et des loups... Alors, eux, de rire, et de se battre les cuisses en pensant gaillardement aux grands coups à venir. Mais combien même lui reste-t-il de guerriers prêts à mourir pour sa personne, au gros Charles pourrissant? Dix, cent, mille, davantage, ses Souabes et ses chers Alémanes, qu'importe?

De la crête où ils sont parvenus, ils voient. Le prince de nouveau s'est immobilisé, les mains en visière protègent les yeux devant l'étendue neigeuse qui se découvre. Non, dit le prince, pas de combat. La ruse va suffire, et l'audace. Qui se battrait pour un fou? Là-bas, très loin, sur le large flanc d'un coteau gris, se détachent peu à peu des bâtiments tassés à ras du sol. À trois lieues, quatre? Le ciel du nord les surplombe de sa pâleur. Un soleil frileux passe la croupe d'une montagne et perce le nuage à notre gauche. Les ombres s'allongent sur la neige.

Nul doute. Là-bas se cache dans ses bois la villa impériale de Neidingen. Ils savent qu'au-delà serpente la haute vallée du Danube. Lieu propice à la défense. Là s'est réfugié l'Empereur, a dit le prince. C'est donc là que nous attend le destin.

L'œil maintenant perçoit plus nettement une demi-douzaine de toits allongés, aux reflets d'ardoise, quelques groupes de cabanes enfoncées dans le sol jusqu'à l'auvent, parmi les carrés de jardins entre leurs haies vives et ce qui sans doute est un grand verger. D'un bouquet d'arbres poudrés de givre s'élève un clocher, à l'abri duquel doivent se blottir une petite église et son cimetière.

La voix du prince éclate soudain, rageuse, brise ce silence imbécile.

«Allons-y!»

❑

Une bûche s'écroule, cassée en son milieu, parmi les braises. Le vieux moine sursaute. Il somnolait. Il se frotte les yeux, de l'extrémité de son gourdin rassemble la cendre, puis replace entre les chenets une branche de hêtre. La cheminée se déploie sur le mur presque entier de la chambre. De part et d'autre du foyer brûlant au centre, un siège de bois permet de se lover dans la douce chaleur. Le moine se rassied sur l'un d'eux. Sur l'autre, enveloppé d'une peau d'ours, l'Empereur.

L'Empereur finit ainsi toutes ses nuits. Il ne dort plus et supporte mal de rester couché.

Ses yeux sont grands ouverts, mais semblent ne rien voir. Une lumière y vacille. Le grand corps épais demeure immobile, intouchable, absent.

La cloche a sonné depuis un moment l'heure de tierce. Le moine détache de son crochet la corde, la laisse glisser sur la poulie et descend la roue de bronze où sont fixés les cierges. C'est ainsi que s'éclaire le Maître. Depuis qu'il est malade, la fumée huileuse des lampes provoque en lui de grandes douleurs. Le moine est médecin, mais au bout maintenant de son savoir. Une à une il souffle les dix flammes, remonte la roue. Les carreaux de verre coloré, scellés dans l'ouverture des trois fenêtres, filtrent d'or, d'azur et de vermeil les rayons du jour déjà haut. Les rayons s'écrasent sur la table de bois sombre, sur le lit aux rideaux fermés.

L'Empereur s'est tourné vers le moine. La bouche émet un son; la main indique la petite porte làderrière: celle qui mène à la salle des gardes. Le moine s'éclipse sans mot dire. Le voici dans la vapeur qui s'élève du chauffoir aménagé sous les degrés et où chacun vient se dégeler entre deux tâches.

Une grimace tord le visage de l'Empereur. Il a trop mal. La douleur recouvre tout. Puis, encore une fois, elle s'efface, laissant sous le front un grand vide.

L'Empereur demande: «Es-tu là?»

Sa voix s'est amollie, presque tendre.

«Oui, Sire.»

Elle trottine vers lui, d'un pas hésitant, les mains tendues devant elle. C'est une fillette malingre, de huit ou dix ans. Elle a dormi, petite boule de lainages gris, au pied du lit, sur le coffre qui, elle ne peut le savoir, contient les bijoux du Maître et sa couronne.

La main de l'Empereur caresse les cheveux longs et raides. La petite offre son visage sans regard. Avec son visage elle sent la lumière; de tout elle-même elle sait que la lumière est là. Du fond de sa solitude, l'Empereur aime cette enfant, enlevée à la serve, sa mère, embarrassée d'une aveugle parmi sa marmaille. L'enfant aime la présence de cet homme à la voix affectueuse; elle se plaît dans la chaleur où il se confine; déjà elle s'est attachée à la souffrance qui émane de lui.

C'est ici le dernier lieu où l'Empereur se sente vivre. Cette chambre est belle. Un peintre venu de Gobbio la lui avait décorée: il était jeune alors, mais roi déjà d'Alémanie, et fort, et beau dans le regard des dames, voici à peine plus de dix hivers... L'Empereur s'agite sur le siège, se détourne, gémit faiblement. Entre les fenêtres dominant la rivière, le trumeau s'orne d'une haute fresque où l'artiste a figuré l'Empire sous les traits d'une belle femme entrouvrant un manteau de brocard soutaché d'or pour allaiter son enfançon rose et rieur, parmi des corbeilles débordant de fruits et de victuailles. Le souvenir se mêle à la vision, la trouble, irrite les nerfs à vif. Où suis-je? Dans la grand-salle? Ou bien? Dans la grand-salle, là au-dessous, l'Empereur, dans l'ardeur de son âge mûr, avait ordonné que fût représentée une chasse au buffle ou l'histoire d'un guerrier antique exhibant ses propres traits. Mais l'abbé de Corbie, qui séjournait à la cour cette année-là, avait condamné le projet pour impie, et imposé — idée de clerc! — une mosaïque où l'on voyait, de la racine Grammaire, s'élever l'arbre des Arts, portant Rhétorique et Dialectique dans ses rameaux.

Tout cela était bon. Mais Douleur étouffe bien vite les soubresauts de Mémoire. Douleur broie le crâne dans son étau, de la nuque au front saisi par une pince monstrueuse, qui périodiquement se resserre, dissipant le regard et l'ouïe, le sentiment et le vouloir.

Un pigeon, sur l'appui extérieur de la fenêtre, dans la cour, se gargarise de lumière. L'Empereur se lève, la main de l'enfant dans la sienne, s'approche. L'oiseau s'envole. D'autres roucoulements remplissent l'espace, par-delà le bleu du vitrail. Au pied du perron, un merle se baigne dans une flaque. On le voit gauchement rassembler ses ailes et fuir. Des cris sont poussés, des objets de métal se choquent; puis, deux hommes casqués, vêtus de cuir, s'éloignent du bâtiment en faisant de grands gestes de colère, francisque en main. Un rayon de soleil heurte le mur, des pas résonnent, des appels fusent, des chevaux hennissent, des gens d'armes s'ameutent, l'Empereur reconnaît à leurs masses cloutées ses Alémanes, fidèles entre les fidèles.

Où suis-je? L'enfant pleure, à petits sanglots brefs. L'enfant seule importe. Lourdement, l'Empereur se laisse tomber sur le coffre, étreint contre lui ce petit corps, vie mutilée et offerte. Pour l'Empereur, l'amour n'est plus, en lui, que froide mémoire... Sa bouche articule à mi-voix des mots; elle maudit les désirs éteints, tous les désirs. L'Empereur regarde passer le Temps et son cortège, sachant qu'il n'est qu'inutilité et perte finale. L'Empereur attend le vide, tout blanc ou tout noir, au bout. Il a mal. Sa puissance s'est retirée de lui, les débris s'en sont dispersés, où donc dans cette immensité qu'il n'a pas su retenir, à chevaucher au jour le jour, de palais en palais, au gré des moissons ou des guerres, d'Ingelheim à Pavie, de Ratisbonne à Compiègne, d'Annapes à Worms, à Ponthion, à Verberie ou sur le chemin d'Aix à la puissante enceinte quadrangulaire, trop vaste pour ce siècle épuisé?

La douleur a passé. De tant de batailles livrées ne subsiste que le sentiment de leur vanité, l'amère conviction d'avoir, même vainqueur, toujours été vaincu. Ces guerres, comme des torrents de mort, ont tout ravagé, emporté la beauté du monde, arasé la terre. L'Empereur sait l'amertume du pouvoir et ses mensonges. Il se redresse, s'approche de la fenêtre d'où le regard, par-delà une palissade de troncs et de glaise, découvre la rivière et la liberté des champs, les genévriers et leurs bouquets de baies orangées parmi les pointes noires du bois. Le regard caresse longuement cette douce campagne voilée de neige, d'où monte une buée. C'était là-bas... Quoi? Peut-être le temps de vivre. De hauts sapins tout droits dominent la courbe de la rivière. Les eaux vertes et brunes s'écoulent, puissantes, faciles, unies, indéfiniment, au pied de moi qui demeure. Mais nul ne demeure vraiment. Qu'advient-il de l'Empire? Ils ne m'en parlent plus. Ils taisent le nom de cet Arnulf dont déjà les

complices, je le sais, se sont infiltrés partout. Peu
m'importe ce silence. Mais tant que brûlera en moi
une flammèche de vie, personne d'autre que moi ne
sera l'Empereur!

Reste cette grande lumière, peinte sur le ciel en
couches égales, sans traces de pinceau, immatérielle,
tandis qu'au-dessous d'elle... C'est l'hiver encore;
mais déjà, au milieu du jour, les vieillards et les bêtes
savent trouver de bonnes places abritées où goûter la
tiédeur ensoleillée d'un coin de muraille, d'un trou
dans la berge du fleuve. Bientôt reviendra la saison de
tailler les rosiers. Peu à peu, l'existence a enseigné à
l'Empereur l'amour des roses. Il en possède avec bonheur un jardin, jalousement clos. Il fait si beau qu'il ne
devrait plus y avoir de souffrance.

Ce passé dissimule-t-il, au fond de ses ténèbres,
une raison qui...

La porte du corps de garde s'entrouvre. Un air de
flûte annonce leur risible cortège. La servante vêtue
de blanc qui porte l'aiguière; Monseigneur l'échanson
et le hanap, le sénéchal, les valets imberbes aux yeux
de filles, le plat de bronze doré où gît un poisson
parmi des herbes, le vase d'où émane un parfum
d'épices. Les voici autour de la table, disposant ces
choses face au fauteuil rembourré de coussins. Le flû-
tiste s'incline et entonne la mélodie d'une gaie chanson à boire.

L'Empereur n'a pas bougé.

D'un coup, il se retourne, se redresse de toute sa
taille, les toise.

«Non!» s'écrie-t-il d'une voix forte, qui aussitôt retombe:

«Pas de ça...»

Le sénéchal s'agenouille, saisit par le bord la manche évasée du manteau:

«Sire...

— J'ai dit non.

— Mangez. Sire, vous...

— J'ai dit non.»

La douleur a repris, crible de ses lancettes le crâne, la cervelle, l'être entier. À reculons le sénéchal se retire, un doigt sur les lèvres. Ils sont partis. Leurs regards seuls se parlent, disent: «Il est vraiment très mal; combien de temps encore? Et nos droits, fondés sur l'Empire, hein? nos droits?» Là-bas un cuisinier barbouillé de suie décroche sa marmite de la crémaillère. L'Empereur... Le cuisinier, lui, le connaît, son père et le père de son père, tous ont servi nos maîtres, ils savent les bâfreurs que c'est. Ne voilà-t-il pas que celui-ci se met à nous démentir? Ses ennemis le surnomment Charles le Gros: bientôt, à ce compte, on dira Charles le Maigre! Au chauffoir, les valets se régalent. À eux le festin. La servante est un peu ivre. Elle a une peau très douce.

Dans la cour, ils sont vingt, trente, à se battre, en masse hérissée d'épieux, parmi les aboiements des chiens, serfs hirsutes aux houseaux crottés, hommes d'armes accourus sans prendre le soin de boucler leur cuirasse, villageois coiffés du bonnet de leur confrérie, foule avide, mais de quoi? Une vieille, sous l'auvent de l'étable, les regarde de loin sans les voir, immobile, assise au seuil de l'au-delà. Un cri déchire la rumeur, un homme tombe. Il ne bouge plus. C'est l'un des deux inconnus casqués. Un messager, notre hôte! Les gens s'écartent. Ils ont honte et peur. Accourt le moine apothicaire, avec sa boîte de fioles et de simples. Il s'accroupit au flanc du blessé. L'œil du blessé le contemple, plein de soupçon et d'angoisse. La rixe s'est apaisée. Tous, ils regardent. Ils gémissent. Les temps sont trop durs; et l'hiver, trop cruel pour qu'on puisse garder la mesure. En dix ans, deux famines se sont abattues sur le pauvre monde, deux fois la terre a tremblé, trois fois l'épidémie nous décima, en 874 un homme sur trois périt, en Gaule et en Germanie, les vieux se le rappellent encore, et tellement plus de petits enfants!

Les nuages ont réabsorbé le soleil. L'air terne vibre de froid.

Aie pitié de nous, Seigneur!

À cet instant, un haut homme blond, tête nue, s'éloigne à grands pas de l'église, flanqué de deux clercs portant l'étole. Sa robe ourlée de vair bat ses jambes tandis qu'il s'élance dans l'escalier. Ses yeux n'ont pas daigné nous voir. Les serfs se sont prosternés, d'autres se détournent avec gêne. C'est Monseigneur Liutwand, évêque de Verceil, en Italie, chancelier de l'Empire et archichapelain des palais: proche du Maître, qu'il n'a pas quitté un seul jour depuis des mois. Le voici qui traverse le corps de garde, ouvre la porte et entre, suivi de ses acolytes apeurés. Il s'agenouille devant l'Empereur.

«Sire, dit-il, ne serait-il pas temps d'ordonner des prières pour l'Empire?»

L'Empereur regarde droit devant lui, on ne sait quoi par-delà le vitrail.

❑

Le chancelier hausse imperceptiblement les épaules. L'Empereur lui échappe. Que l'Empereur soit irrémédiablement atteint, Liutwand n'en doute pas. Il importe d'autant plus de garder prise sur sa volonté fléchissante et ses idées confuses de mourant. Arnulf rôde autour du trône comme un fauve.

Le chancelier s'est retiré. Du perron, il regarde ces gens, ces choses: serfs, soudards, femmes affairées et bavardes, les valets, les chevaux qu'on étrille, le chien ramassé sur son os, l'œil mauvais, et qui soudain se gratte l'oreille de la patte de derrière, la volaille, la neige ravinée, la brique du mur en face, muette: notre monde. En dépit de la doctrine de l'Église (mais sans trop le savoir), le chancelier croit à l'éternité du monde, c'est-à-dire à sa propre permanence.

Midi.

Dans la cour, le messager d'Arnulf se met en selle. Des lambeaux d'étoffe, un épieu cassé, des pièces de harnais jonchent la neige pétrie de crottin et de boue. Le messager grommelle sa haine et des promesses de vengeance. Ils ont emmené son camarade à l'infirmerie. Que dira le prince en apprenant qu'il a laissé cet otage? Le cheval piétine, se tourne vers le portail que les serfs ont ouvert. Le messager les maudit, maudit leur maître, insulte le métier qu'on lui fait faire, tandis qu'il lance au galop sa monture. Les cris de l'homme décroissent à nos oreilles, mais ne cessent pas, l'écho nous en parvient encore quand se rabat le double vantail. Un métier? Une misère, et pire que les autres, jour et nuit dans le vent et la pluie ou sous le feu du ciel, impitoyablement, la gadoue, la pierraille, les sabots du cheval à panser chaque soir à travers bois et maquis parmi les plantes vénéneuses, çà et là tout juste un tronçon d'antique voie pierrée dont des chaînes de barcasses pourries remplacent les ponts écroulés et où d'aventure un troupeau d'esclaves clopinants te coupe la route venus de Pologne ou de Courlande que poussent à coups de fouet les valets d'un marchand teuton pour les aller vendre au grand bazar de Cordoue, ah! l'Empire, l'Empire d'un bord à l'autre du bouclier de la terre, les passes de montagnes mortelles, les gués où se noya plus d'un preu...

La cloche vient d'égrener ses douze coups. Des raclements de pieds, le grincement d'un coffre qu'on déplace, le chuchotis de plusieurs voix parviennent de la Trésorerie, salle voûtée creusée dans le sol non loin du chauffoir. Le Conseil s'y réunit parfois.

C'est Monseigneur Liutwand qui parle d'abord. Tous font silence, assis sur les coffres ferrés où s'entassent, avec le butin des dernières batailles, les tributs des vassaux et les cadeaux parfois (de moins en moins, par le temps qui court) de potentats lointains. Il fait froid. Les plus vieux resserrent leur manteau, replient sous les fesses leurs mollets nus dans les jambières.

«Nous avons, explique le chancelier, reçu ce matin un message du prince Arnulf. Le prince exige une déclaration publique de l'Empereur, qui le désigne comme son seul héritier. Tel est le fait. Qu'en pensez-vous?»

L'homme, en prononçant ces mots, se gonfle, tire de sa haute taille une solennité. Le doigt caresse l'aile du nez pointu. L'œil nous transperce.

Le sénéchal s'est levé. Il hait le chancelier, un Franc, comme tant d'autres ici. Lui, il vient des marécages de la Frise et s'est hissé jusqu'à l'Empereur grâce aux bouleversements de ce règne.

Ils se toisent, haletants. Soudain leurs voix se mêlent, roulent, évoquent en s'insultant les mêmes désastres qui depuis des années nous affligent: l'Empire est en miettes; les paysans frisons refusent l'impôt et rossent les agents du Maître, ceux de Prüm occupent insolemment le monastère que les moines ont fui par crainte des Vikings, engraissant leurs cochons dans les cellules désertées, pissant et chiant jusqu'au seuil de la chapelle; des serfs mêmes abandonnent la terre et rôdent par les chemins sous prétexte de mauvais traitements ou de famine malgré le fouet qui justement les punit quand on les rattrape. On a vu des évêques faire châtrer les meneurs pour leur passer l'envie de changer l'ordre du monde. En Gaule on leur casse sur l'échine l'arme qu'ils ont eu l'impudence de saisir. Où est la justice? Où, la fidélité? On brise les dents, on écrase au marteau les doigts, on coupe la main, le pied, le nez, une oreille, les deux, rien n'y fait. Quant à payer d'une amende, à la façon de nos aïeux, le crime commis, où trouver sous et deniers dans cette misère? Pour se défendre contre les bandits voici que nos rustres forment des sociétés impies comme si les lois ne suffisaient plus à...

Ils s'essoufflent; ils se rassoient, la dernière phrase en suspens, quand s'interpose la silhouette décharnée de Gottschalk de Fulda, envoyé de son abbé et qui réside ici pour l'hiver. Gottschalk est un saint dont nul ne tente de suivre les pensées. Il se drape dans sa houppelande délavée, aux pans lacérés sur les jambes nues. Il pue. Il demande:

«Et alors?»

Il hésite. Il semble que ses macérations lui aient ravi la faculté du langage. De toute façon, on a compris. Il n'est pas le seul à chanter son antienne: seules comptent nos fins dernières, dites non au siècle, fuyez comme Alexis au soir de ses noces.

Dans le silence embarrassé tombe la voix du moine médecin. Il incline bas la tête en parlant, comme s'il avait honte de faire tant de bruit, frotte ses mains, sa grimace ressemble à un sourire.

«Nous savons tout cela. Mais ce n'est pas le malheur des temps qui fait problème. L'Église...»

Il s'interrompt, les regarde. Ces gens le redoutent, sans raison claire, peut-être à cause de sa familiarité avec nos corps.

«Seule compte l'unité. Depuis un siècle nos prélats le répètent, Benoît d'Aniane, Wala, Agobard à Lyon, tant d'autres: l'unité terrestre de l'Empire chrétien, qui figure celle de Dieu! Vous le savez. L'empereur Louis eut la faiblesse de diviser en trois l'Empire, au profit de ses fils révoltés. Jamais nous n'avons admis ce sacrilège... ce mensonge, car la seule marque du vrai, c'est l'unité! Le vénérable Hincmar, archevêque

de Reims, ne cesse malgré son grand âge de le rappeler à nos mémoires. Eh bien! Qui l'a rétablie, sur le
terrain, notre unité, en moins de dix ans, à force de
courage et de rouerie, par la négociation et parfois (le
moins possible) grâce aux armes? Vous le savez: c'est
ce pauvre malade, là-haut! Nous avons décidé de le
guérir, à quelque prix que ce soit. Il faut qu'il vive!»

Le médecin a crié ces dernières paroles. «Nous
avons décidé», «nous», «nous»: qui donc, après tout?
«L'Église»? Le bouteiller ne se contient plus. Sous la
frange de cheveux noirs, luisant de l'huile dont il les
lisse, le regard humide supplie pendant qu'éclate la
voix pointue, vibrante de colère. L'Église? Les évêques? Ces chefs de bande qui troquent chaque printemps la crosse pour la masse d'arme et rougissent les
rivières de leur diocèse quand ils y font laver au retour
leurs ornements ensanglantés? Ou bien ces efféminés
vautrés parmi les soieries de leur palais, entourés de
chanteurs, sinon de danseuses! gourmands, ivrognes,
en dépit des inspections et des réformes menant leur
meute, faucon au gant! Tel pieux seigneur qui veut
pour le salut de son âme fonder un monastère dans
ses domaines ne parvient plus à trouver de moines di-
gnes de ce nom: pas même le comte Géraud, ce brave,
au fond de ses montagnes d'Aquitaine… Pour un saint
Guillaume, dix Gauzbert, pouah! L'Église sent trop
mauvais! Le bouteiller se pince le nez pour prouver
son dire. Ses yeux se ternissent, le regard hostile s'immobilise sur un clergeon, là, devant lui, qui n'en peut
mais.

«Il faut qu'il vive!» répète le médecin.

Dans le vacarme, il agite ses bras aux larges manches noires. À son tour il atteste la détresse de l'Empire. «Ce qu'il faut», hurle-t-il en proie à une fureur
soudaine, «c'est un chef! Pas une brute comme cet Arnulf, mais un authentique élu de Dieu, dont la per-

sonne même soit le gage providentiel de notre unité. Cela seul importe. On va le guérir, il...»

Du brouhaha pointe à nouveau la voix outrée du bouteiller. L'Église? L'unité assurée par l'Église? Ah oui! Il fut à Rome, voici trois ans, et sait de quoi il parle. Le pontife romain, représentant de Dieu sur terre, comme il le prétend? Un vieillard grelottant sous la tiare, pauvre diable acculé entre les intrigues des Lombards, des ducs de Spolète, des Grecs d'Amalfi et les incursions sarrasines, à implorer l'aide de qui voudra bien libérer la Ville et un morceau de sa banlieue avant que des cavaliers maures n'y aient planté le croissant de Mahom! La Ville? Un lopin de terre fangeuse semé de basiliques trop grandes et toujours vides, entre des collines où la friche envahit les ruines vermoulues de païens antiques! «L'unité, dites-moi, dans cette extrémité, qu'est-ce que c'est? Ce dont nous crevons, c'est de ne point avoir à notre tête un gaillard à poigne et sans peur, que n'embarrassent pas les rêveries des clercs!»

«L'Empereur refuse leurs prières», murmure le chancelier.

Mais rien n'apaise la hargne du bouteiller, qui hausse une épaule et poursuit sur son erre, projetant au-devant de lui ses petites mains crochues, comme des harpons. «L'Empire? Tant de terroirs, de langues, de coutumes, d'intérêts contradictoires, tant de princes, d'ambitions, de guerres, de massacres, les uns aux prises avec les drakkars norvégiens, d'autres avec les galéasses mauresques ou les galions byzantins, nous avec les Sorabes, les Moraves, les Hongrois, qui d'autre? Francs orgueilleux, Aquitains versatiles, Italiens méprisant les uns et les autres, qui leur retournent leur dédain. Écoutez-les mutuellement se juger, les oreilles tintent à tout un chacun des mauvaisetés qu'en Alémanie on profère sur les Bavarois, en

Bavière sur les voisins de Thuringe, et là sur les rudes bûcherons de Saxe, les pêcheurs hollandais, tous unis dans leur haine des welches... L'unité? Ce qu'il nous faut, c'est un homme de guerre, plus dur que les autres, oui: plus dur et méchant!»

L'homme se tait. Mais le pincement de ses lèvres minces annonce une suite de son discours, plus cinglante encore. Doucement, la voix de Gottschalk s'interpose:

«Le comte Girard de Vienne, quand il fonda Vézelay...»

Mais le chancelier, comme s'il ne l'entendait pas:

«Certes, dit-il avec calme, la force du maître est le meilleur garant de la justice.»

Il a raison. Leur Église, leur Empire, c'est bien beau, mais nous dans tout ça, avec nos femmes, nos concubines, nos enfants légitimes et bâtards, nos terres et la malhonnêteté des croquants?

La chaleur a monté, parmi tous ces corps. Les manteaux s'entrouvrent sur les tuniques. Des fronts transpirent. Voici qu'un souffle frais s'immisce dans la salle: par l'entrebâillement de la porte un enfant s'est faufilé jusqu'au sénéchal et lui chuchote à l'oreille un message. L'autre cligne l'œil et fait signe qu'il a compris.

Le sénéchal se lève, la droite tendue comme à l'escrime; son regard embrasse le cercle de ces visages dans la pénombre.

«Jamais un empereur n'a été choisi hors de la lignée du grand Charles», énonce-t-il sentencieusement.

Il est vrai. Mais la famille est devenue si vaste aujourd'hui que la faveur divine qui l'habite a dû s'y diluer jusqu'à se réduire à trop peu de chose pour nos besoins. À quoi bon maintenir une telle coutume quand la nécessité...

C'est le connétable qui parle, gros homme taciturne, dont on sait vaguement les malheurs passés. Il ne lui reste plus d'énergie que pour en haïr les responsables: les savants à cause de leur science, les nobles pour leur noblesse, ses aînés parce qu'ils le sont, ses cadets parce que plus jeunes. Aussi s'emporte-t-il dès qu'il ouvre la bouche. «Oui, le clan de nos maîtres possède d'immenses domaines, disséminés dans tout l'Empire; ses membres vénèrent en commun leurs ancêtres; parfois, le danger les réunit, comme aux temps, proches encore, de Boson, cet homme de rien qui réussit à épouser une de leurs filles et finit roi d'Arles, faute de mieux. Ce sursaut nous valut le couronnement de notre malade, beau résultat! Où tout cela nous mène-t-il? Si encore notre maître avait un fils!»

«Le prince Bernard... lance le camérier.

— Un bâtard!

— L'Empereur le fera légitimer.

— Jusqu'ici le pape a dit non.

— Il se venge. C'est une honte.

— Arnulf aussi est bâtard...

— Il faut que vive l'Empereur. Il est le dernier de sa race», répète le sénéchal, martelant ces mots. «On le guérira. On vient de m'annoncer l'arrivée de maître Hildebrand, médecin de Saint-Gall: il passe pour le meilleur d'Alémanie et de Souabe. J'ai fait demander à son abbé de nous le prêter, le temps qu'il faudra. Soyons patients. Rien n'est joué, et renvoyons chez lui avec un beau cadeau cet Arnulf. Il nous sera peut-être utile un jour.»

Le chancelier tord la bouche, mais se tait.

❏

Seul dans cette chambre qui paraît immense et s'assombrit peu à peu car, dehors, le soleil a tourné, cette chambre qui semble tapissée des portraits de ceux dont on se souvient, l'Empereur revoit faiblement leurs visages estompés, rêve à leurs âmes effacées, eux qui furent là un instant debout dans leur vêture et leur orgueil puis qui ont été rejetés bon gré mal gré parmi la masse des larves sans substance; rien, rien ne reste que l'enfance abandonnée au fond de nous les joutes auxquelles s'amusait la cour du roi mon père quand tout petit encore blotti dans les bras d'une nourrice à l'odeur de lait on regardait avidement de la fenêtre de l'appartement des dames se précipiter les unes contre les autres sur le pré les équipes de Belges et de Franconiens d'Alsaciens et de Saxons armées de gourdins et d'écus jusqu'au moment où le père se lançait à cheval et caracolait au milieu de la mêlée faisant mine de la disperser avec de grandes clameurs on se savait homme alors, on voulait à son tour être roi le chemin avait été long rude en larges méandres...

L'Empereur s'est tassé sur les coussins du fauteuil. Ses mains reposent sur la table nue. La tête dodeline, le crâne contient un mal qui le ronge. Me voici vieux, pense l'Empereur, mais je n'ai pas perçu le temps, seuls le froid et le chaud marquent les heures les saisons maintenant le monde retourne au chaos c'est là peut-être la seule mesure on a tout eu en main pourtant ce ne fut qu'apparence la Mort est là si proche cette lente stupeur cet échec joutes du roi mon père de mes frères aînés puis de moi le dernier venu qu'on faisait élever par des prêtres me voici pris de querelle avec ma propre vie et cette bataille-là durera jusqu'à la fin... Une fatigue intolérable irradie dans le corps entier.

La petite porte s'ouvre sans bruit. Sur les talons du moine médecin, un étranger de haute taille, jeune encore, glabre, au nez épais et rouge. Le moine s'approche:

«Sire!»

Entre les paupières mi-closes, l'Empereur regarde ces frocs sombres, ces deux tonsures inclinées devant lui en signe de respect. Il est l'Oint du Seigneur, il va mourir, il va laisser orphelin l'Empire, il...

«Sire, murmure l'étranger d'une voix très douce, prenez espoir.»

La tête de l'Empereur, de gauche à droite, fait non. L'Empereur a-t-il entendu? La voix monte d'un cran.

«Rappelez-vous, Sire, la liturgie de votre dernier dimanche, il n'y a pas plus de trois jours. Que vous a dit l'Église, par la bouche de votre chapelain? Elle vous a dit que tout est parabole et que le Royaume est parmi nous, alleluia. Oui, Sire, et qu'elle associe, elle l'Église, les rois de la terre à la gloire de Dieu.»

L'étranger se tait. L'œil gauche de l'Empereur s'est grand ouvert. Il est bleu, intensément.

«Encore quatre jours, Sire, et nous célébrerons la fête de la Septuagésime, qui ouvre le cycle de la Rédemption.»

Le vieux moine s'est relevé et se penche à l'oreille de l'Empereur.

«Ayez confiance, Sire», dit-il. Puis: «Cet homme est un médecin illustre. On dit même qu'il fait des miracles. Il vous guérira, Sire. L'Église entière est en prières. Vous avez le devoir de vous conserver pour l'Empire.»

L'Empereur sourit, petitement. Il attend le miracle. Une force ignorée se rassemble en lui, se concentre en volonté farouche. Il va vivre.

Il a mal. Deux mains très délicates tâtent son crâne, écartent les cheveux. Le vieux moine marmotte des noms de plantes, énumère les tisanes qu'il a prescrites en vain, l'écorce de saule, la belladone, la douce-amère, dévotement récoltées en récitant un *Pater*. Il a même, à grands frais, obtenu des marchands juifs de

Strasbourg un cent de clous de girofle et une fiole de suc d'aloès. En vain. L'autre hoche la tête.

«Je reviendrai tantôt, Sire. Pour l'heure, mieux vaudrait dormir.»

Ils sortent. Derrière la porte refermée on entend leurs voix mais non les mots. Soudain une peur rampante étend ses tentacules autour de l'Empereur, le saisit, le presse, l'oppresse. Être malheureux, c'est avoir peur, disait le père jadis. Quand donc a commencé cette histoire? Est-ce que les histoires commencent? Le commencement, c'est toujours une autre histoire et nous voilà pris dans ce réseau depuis quand? Depuis qu'on accepta la couronne et l'onction impériales de Jean VIII, ce pauvre pape aux abois, ses mains tremblaient en versant l'huile sainte le sourire n'avait pas la force de remonter des lèvres jusqu'aux yeux embués, il pleuvait à torrents sur Saint-Pierre, pauvre pape terrorisé par le monde qu'il avait charge de conduire au salut, fourbe par faiblesse et dont le seul talent était d'accumuler autour de lui les haines. C'est pourquoi ses familiers à la fin l'empoisonnèrent et comme il ne mourait pas assez vite l'achevèrent à coups de marteau, pauvre pape quand on le mit en bière il n'avait plus de visage, et moi? demande l'Empereur aux murs de la chambre, et moi, bientôt? Il était jeune alors et vaillant. Les barbares vikings l'étaient davantage. Il ne régnait pas depuis un an qu'ils avaient mis à sac le palais d'Aix, incendié les portes et fait de la Chapelle leur écurie, tout pouvoir est mensonge.

Le jour baisse. Bientôt la nuit. Ou bien la vue aussi me serait-elle ravie? Pourquoi ne viennent-ils pas allumer les cierges? Bientôt dans les ténèbres négatrices de toute vie se déchaîneront les maléfices.

Holà!

L'enfant aveugle sort de l'ombre, touche la longue main pâle, la caresse. Elle sait.

❏

Ils ont entendu le cri de l'Empereur. L'un des gardes saisit sa dague, se précipite. Un geste du moine arrête son élan.

«Ce n'est rien, dit le moine. Il rêve.»

Ils sont une dizaine d'hommes, à somnoler sur les bancs qui courent le long des murs. La salle est exiguë, dans son remugle de sueur et de cuir. En faisceau, les dix épées; empilés en colonne, les dix casques cerclés de fer.

«C'est donc grave?» demande le chef.

La santé d'un roi, c'est celle de son royaume. Chacun le sait, et assez de légendes le prouvent, que content dans les veillées d'hiver des jongleurs errants.

«Je le guérirai», dit l'étranger.

Sa voix posée donne confiance, ainsi que son regard clair comme de l'eau.

«Tant mieux. Mes hommes s'agitent. Il vous faut le sauver!»

Le chef tourne vers l'étranger ses gros yeux flous, sa face rudimentaire. Il appelle au secours. Ses hommes? À la moindre faiblesse, ils s'enfuiront ou s'en iront grossir les rangs d'une de ces bandes de brigands révoltés sillonnant depuis deux ans, avec de plus en plus d'audace, la Germanie, les vallées alpestres et l'Italie jusqu'à Rome, au point que le pape régnant, à ce que l'on raconte, en est réduit à mendier l'aide des Grecs! Des Grecs, pensez donc!

«Mes hommes se disent: on meurt trop dans cette famille, et trop tôt. Comment croiraient-ils longtemps encore à leur juste cause?»

Une fatalité s'acharne sur la lignée impériale. Depuis dix ans ont péri, bien avant l'âge, pas moins de quatre rois, à la suite du précédent empereur.

«On le guérira, répète l'étranger. Il redeviendra ce qu'il était.»

Il veut dire: jeune, entreprenant, chanceux, exaltant chez les guerriers et les clercs l'image d'un Empire renaissant.

Les deux moines s'en vont, serrent autour d'eux leur manteau pendant qu'ils traversent la cour vers l'infirmerie. Le ciel s'est embrumé, des flocons de neige y volètent, hésitant à se poser.

Dans l'infirmerie, il fait très chaud. Sur un matelas de paille, un vieil homme se meurt en grognassant. Les autres l'observent sans mot dire. Quelqu'un se signe, puis commence les prières.

«Réunis tes aides», demande l'étranger; et il passe dans le cabinet où le frère apothicaire malaxe ses onguents.

Les voici. Trois hommes avec le moine médecin; l'un d'entre eux fut élève, à Laon, d'un maître célèbre en son temps.

L'étranger les mesure du regard.

«Ni tisane ni pommade n'y peuvent rien, dit-il. Le mal a pris corps et grandit en lui.»

Du doigt, il se touche le crâne, au-dessus de l'oreille gauche.

«Le mal qu'un esprit diabolique — je n'en doute pas — engendra dans l'Empereur se développe à la manière d'un embryon au creux de la matrice. Mais la matrice de ce mal, c'est le cerveau…»

Il s'interrompt.

«… le cerveau dont dépend l'Empire.»

Le silence retombe et les accable.

«Il reste une chance, reprend Hildebrand: une médication douloureuse mais définitive.»

Il se tait. Ce qu'il va tenter, il l'a vu pratiquer naguère à Echternach. Le patient en est mort; mais c'était un vieillard brisé par l'âge. L'Empereur est robuste et n'a pas cinquante ans.

«Il faut découper l'os, et trancher la tumeur dessous. Aiguisez-moi deux lames, l'une aussi fine qu'un rasoir; l'autre, de l'épaisseur d'un ongle. Préparez des linges blancs, de l'eau bénite et une cruche de vin épicé, très fort. Pendant ce temps, je vais prier. Que l'un de vous me conduise à la chapelle et revienne m'y chercher avant l'heure de vêpres.»

❏

L'Empereur de nouveau a mal. Une main de fer lui coiffe le crâne de ses griffes. Les yeux brûlent, les paupières s'abaissent dans l'illusion d'apaiser ce feu. L'étranger le guérira. L'étranger est un médecin illustre. L'Empereur a toujours su qu'on l'arracherait à la mort. On l'a toujours aidé. Il a traversé toutes les tempêtes.

Pourquoi mourir?

Chaque instant nous fait glisser un peu plus loin des choses, du cœur des choses qui seul compte et que posséda notre enfance. Quoi qu'ils me fassent, puissent-ils me rendre cette pureté-là! Qui m'expliquera le comment de la vie? Les grands Maîtres sont morts, qui éclairèrent mes jeunes années, Milon, Heiric, le Scot avec ses longs yeux pâles, ces lumières aux carrefours de l'Empire, qui montraient la voie et nous révélaient la nature de la Création. Maintenant le jour tombe, et bientôt régnera la nuit.

L'enfance. L'amour. «Protège-moi, Seigneur, de l'incurable vieillesse du cœur!»

L'amour menteur...

Elle s'appelait Richarde. Pour eux, elle est l'Impératrice. L'Empereur seul a vu dans ses yeux, un jour, sa lumière. Elle avait quinze ans. Timide, elle pinçait son sourire, de peur d'exhiber ses dents superbes, ou bien pour mieux enfouir en elle son mystère. Le soleil du printemps auréolait sa robe légère. Elle était vivante, Dieu l'avait créée, rien ne la détruirait jamais. Où est-elle, à cette heure où tout est fini? Dans sa villa d'Andlau peut-être, parmi ces tendres coteaux alsaciens qu'elle a fait semer de vignes, attendant le retour d'un amant?

La colère se confond avec la douleur. L'infidèle a provoqué ce malheur. Il y a deux ans. Au camp dressé sur Paris, d'où le regard embrassait l'ample courbe du fleuve et ses îles parmi bois et jonchaies, la forêt des mâtures, sept cents drakkars bord à bord, et l'oreille percevait les hurlements de ces loups... L'Empereur regagnait sa tente, à l'abri d'une petite église, au sommet du mont. Richarde s'y tenait, assise, trop calme en apparence, les mains vides. Des pas d'homme s'éloignaient en hâte. «Liutwand...», murmura le sénéchal à l'oreille de l'Empereur, en lui délaçant sa cuirasse. Liutwand, son ami de toujours! L'autre insistait: «Voyez-les à votre table, Sire...» Il les vit côte à côte, elle, l'impure, et celui qu'il avait comblé de marques de confiance et d'honneurs. «Voyez leurs yeux», murmurait le sénéchal. Leurs yeux avouaient le secret qui les liait, cette intimité sans paroles, cet abandon.

L'Empereur gémit. La douleur rabat la colère sans l'apaiser. Est-ce une fatalité encore qui pèse sur nous, depuis que Judith, la Bavaroise, jadis, ensorcela l'empereur Louis pour le tromper avec Bernard, ce bellâtre qu'on avait fait chambellan? La luxure les ronge tous, comme une lèpre, hommes et femmes, jusqu'aux marches du trône, en dépit de nos lois et des commandements de l'Église. Que l'étranger me guérisse donc, gémit l'Empereur, qu'il me rende la force de renvoyer l'épouse indigne et de mettre aux fers son complice!

C'est là un secret très ancien, dont il ne reste trace qu'en lui-même. L'Empereur est seul, oublié. Tous se détournent de lui. Voici que cette déréliction le remplit d'orgueil. Il a pitié de ce corps qui est le sien, avec lequel il naquit et mourra, qu'il aura traîné tout au long de son existence. Mais il vit encore. Il se voit, comme lorsqu'on se penche sur un étang; il voit le fond trouble, souillé de détritus et pourtant grouillant de vies frémissantes entre les monstres visqueux tapis dans l'ombre.

Peut-être ne mourrai-je pas. La mort est trop cruelle. La mort n'appartient même pas à celui qui meurt, mais aux survivants à qui elle offre son spectacle. Où emmèneront-ils ce corps si j'accepte qu'il se sépare de mon âme? L'empereur Charles, mon oncle, celui qu'on surnomma le Chauve, de glorieuse mémoire, quand il mourut, grelottant de fièvre dans un hameau de la Maurienne, sous la première neige de l'automne, ses clercs résolurent de le ramener à Saint-Denis où l'on avait sur son ordre préparé sa tombe. C'était un long voyage et le gel n'était pas suffisant pour conserver les chairs. Alors, ils ouvrirent le cadavre, en ôtèrent les entrailles, firent macérer le reste dans un vin aromatisé, puis le découpèrent et placèrent les morceaux dans un tonneau enduit de poix, doublé de cuir: ils purent ainsi gagner Nantua et y attendre la fin de l'hiver.

Un haut-le-cœur secoue la poitrine de l'Empereur. Mais peut-être que la mort est encore lointaine.

L'Empereur, soudain, comprend. Mais il a trop mal pour savoir quoi. Il comprend un vide, sans fond. Il aime ce vide, il aspire, il...

Sa tête se renverse, heurte le bois du haut dossier. La voix stridente de l'enfant aveugle pousse un cri.

❏

Dehors, le ciel a pris sa couleur d'acier froid. Les cimes des sapins, à l'horizon de la fenêtre, plongent dans un nuage boueux.

L'étranger se redresse. Il a le torse nu, comme un bourreau, et des taches rougeâtres sur les doigts.

«Il dort.»

La tête enveloppée de linges, l'Empereur gît immobile sous le drap ensanglanté. De hautes flammes jaillissent des bûches, sans fumée. Dans leur lumière, la figure allégorique de l'Empire peinte sur la fresque, là en face, semble s'efforcer de sortir du mur qui la retient. Il fait très chaud. La poitrine de l'Empereur se soulève puis s'abaisse au souffle régulier de la vie. Accroupie contre le coffre, l'enfant aveugle se mord le poing, son visage crispé de terreur.

Personne ne l'a vue. Ils sont quatre, autour de l'étranger, le froc relevé dans la ceinture, les manches roulées jusqu'à l'aisselle. Ils tremblent encore. Ce fut atroce. Enfin, grâces soient rendues au Seigneur! Il a fallu maintenir le Maître aux bras, aux jambes, serrer la nuque à dix doigts, après avoir forcé la gorge à déglutir tout ce vin. À la fin, il ne souffrait plus, il s'abandonnait comme un nouveau-né. Il va renaître. Détourne les yeux, pauvre clerc, de ces mains qui se sont portées sur l'Empereur sacré, ombre du Dieu vivant! Il va renaître.

Le crépitement du bois dans l'âtre occupe seul le silence.

L'étranger remet sa robe, noue la corde qui le ceint. Deux serfs qu'il avait mandés apportent un drap propre, une large fourrure qu'ils étendent sur le lit; emportent le bassin d'eau souillée où trempent une chose blanchâtre et deux couteaux. Leurs pieds nus glissent sans bruit, leurs gestes planent. Leurs yeux nous effleurent à peine. Ils ont juré sur l'Évangile de ne rien dire de ce qu'ils voient.

À la porte, la garde a été renforcée; une sentinelle, placée à la chapelle afin de veiller sur les reliques, la dent de saint Liboire, présent de l'abbé de Paderborn, et le doigt de saint Marcellin, puissant guérisseur de paralysie: les corps saints témoignent ici-bas de la Vérité et de la Providence, mais en ce siècle mauvais il arrive que des criminels sacrilèges, mettant à profit quelque trouble public, osent les dérober pour les aller vendre au prix fort dans une autre province.

L'étranger n'a permis d'allumer qu'un cierge. Il a poussé le fauteuil près du lit, s'y assied, regarde longuement la face toute blanche de l'Empereur. Un peu de mousse sanglante suinte à la commissure des lèvres. Doucement, avec un coin du drap, il l'essuie.

«Tout va bien.»

Sa voix n'est qu'un murmure.

Les autres l'entourent, attendent, ne croient plus qu'en lui. En cet instant se joue le sort de l'Empire. Comment nourrir leur illusion, alors que soi-même on n'en a plus? Il vivra, sans doute. Mais comment? En lui, un ressort s'est brisé.

À travers la campagne, dehors, les maisons se tapissent dans la nuit tombante comme des bêtes dans leur terrier. La neige commence à geler, avec de menus craquements secs qui semblent provenir des entrailles de la terre.

Soudain des cris résonnent à travers la cour, à peine étouffés par les murs qui nous cernent. Des corps se bousculent, des chevaux piétinent, dérapent, s'entrechoquent. Des pas martèlent les degrés qui conduisent à l'étage. À la salle des gardes se heurtent des voix furieuses. On entend: «Vous me le paierez!» et: «Quand je serai le maître!» puis encore: «Il sera vengé!»

Le prince Arnulf! Ce timbre féroce et rauque...
Et d'un coup la porte s'ouvre, claque. Un air glacial
nous enveloppe.

L'étranger s'est levé et désigne de la main l'Empereur. L'autre hésite, secoue de sa peau d'ours la neige,
arrache son casque, le lance au pied du lit. Sa crinière
blonde ondule sur la nuque. Derrière lui se pressent
Liutwand blême et la belle Uta au manteau ouvert sur
les braies d'homme qui revêtent ses longues jambes.

Sous le regard de l'étranger, Arnulf a baissé le
sien.

Les autres reculent dans l'ombre. Que va-t-il survenir? L'étranger fascine cette brute. Peut-être lui
jette-t-il un sort?

Le regard du prince fait le tour de la chambre. Le
prince dit:

«Je me fous de l'Empire.»

Puis:

«Je veux être le roi d'une vraie terre.»

Les mots ont rompu le charme. Le prince s'approche du coffre, d'un coup de sa botte en écarte
l'aveugle, soulève le couvercle, y plonge les mains.
Elles en ressortent jointes, chargées de petits objets
chatoyants qu'on reconnaît mal. Le prince crache par
terre, éclate de rire et lance à Uta sa poignée de
joyaux. Sur le lit, l'Empereur gémit, tente de se redres-
ser, entrouvre l'œil. Un fil de bave coule de sa bouche.

Dehors, le ciel est noir, veuf d'étoiles. Seul un toit
fragile nous sépare de cette nuit.

Histoire véritable de la reine
Pied-d'Oie, dite en latin Pédauque

La Loire scintillait au soleil levant entre les bancs
de sable blond où des serfs pêcheurs, nus des pieds au
ventre, ramenaient lentement leurs lignes. Dans les
flaques cancanaient des oies, qui sont un symbole, dit-
on, d'aveugle fidélité. Mais toute fidélité n'est-elle pas
nécessairement aveugle? La brise de mai, encore fraîche de sa nuit, poussait une pointe vers l'ouest,
prenant de fouet le pont dont les planches disjointes
s'entrechoquaient çà et là. Le froc d'Helgaud battait
les jambes guêtrées de grosse toile. Le pont oscillait,
mal soutenu par ses piles antiques aux moellons dé-
chaussés. Beaucoup de voyageurs le redoutaient, pré-
féraient le passeur, ou ne s'y engageaient qu'avec de
grandes prudences. Le cavalier qui précédait Helgaud
avait mis pied à terre et tirait son cheval derrière lui, à
longueur de bride. Helgaud rejeta sa capuce. L'air bai-
gna son visage, le crâne tonsuré, les oreilles, les yeux,
les narines, la bouche, tous les sens. On se repentirait
plus tard d'un tel plaisir. La saison était trop belle!
L'âme en ressentait un secret malaise, comme si dans
ses abîmes une revanche se préparait. Comment
croire à la beauté du monde, lorsque dans la moindre
de nos émotions se trame un complot du Malin?

Helgaud se signa. Il arrivait de Fleury, à une dizaine de lieues en passant par Jargeau, seule route qui
ne fût pas, dès le crépuscule, infestée de brigands. Il
avait hâte maintenant de s'asseoir à la table du réfec-
toire, dans la maison des hôtes, puis de sombrer pour
quelques heures dans le sommeil... si on le lui permettait. Encore une fois, le pieux roi Robert... Pieux,
certes, et qui puérilement rêve d'égaler la dévotion
illustre de son rival Guillaume, le duc des Aquitains.
Mais si faible, attaché plus qu'un autre aux douceurs
trompeuses de la chair, incertain dans ses désirs, colérique et irréfléchi comme un adolescent! Le bon peuple le prend pour un saint, se bouscule à son passage
et bientôt lui amènera ses malades à guérir. Loué soit
Dieu! L'ordre public en tire profit. Il n'est de vrai chef
que thaumaturge; et de nos jours... Partout le Diable
rôde et nous guette: cela seul est vrai. Quant à notre
roi Robert, prions pour lui. Implorons le Seigneur de
prendre en considération sa jeunesse afin de pardon-
ner ses erreurs!

Le pont s'appuyait à la haute rive où se dressait le
palais, trois corps de bâtiments en pierre blanche, coiffés d'ardoise, et leur cour, dans une enceinte de pieux.
Par-delà s'élevaient les clochers de la ville.

Orléans, et sa douce lumière.

Helgaud gravit le sentier qui, entre les genêts bientôt en fleurs, escaladait la falaise, directement vers la
petite porte par où les rustres de la contrée avaient accès
à la chapelle. Des voix y résonnaient. Elles chantaient
prime, sans doute; puis l'oreille d'Helgaud perçut clairement les paroles de l'antienne qu'un des frères avait à la
saison dernière rapportée de Saint-Gall: *Media vita in
morte sumus...* En pleine vie nous voici morts.

L'angoisse alors saisit l'âme et le corps. Dans peu
de mois l'humanité entrera dans l'an mil de la naissance du Seigneur. Un tel chiffre à lui seul ne peut pas

ne point signifier: mais, quelle promesse ou quelle malédiction?

❏

Sous la couette, Berthe s'éveille. Tous ses membres s'inquiètent. Son ventre. Ce vide. Le rayon l'atteint par la fenêtre dont hier soir elle a fait écarter la tenture. La fenêtre regarde l'est. On y découvre par-dessus la palissade un vaste champ de seigle encore vert, entre des jardinets de fèves, de vesces, de pois. Berthe s'assied, rejette les coussins, écarte la couette. Ce sont les seins qui font mal. Elle les presse de ses mains, les caresse. Le lait. Pourquoi lui ont-ils enlevé son enfant?

Cette première lueur du jour n'a pas encore la force de repousser, tout autour de Berthe, les ombres dont s'épaissit l'espace de la chambre, entre les lourdes broderies couvrant les murs. Peu à peu émergent du clair-obscur le fauteuil de bois noirci, la petite table, le rouet, la quenouille, le bassin de cuivre, l'aiguière.

Les seins. Berthe appelle. Sa voix résonne à peine. La douleur s'efface. Durant la nuit, la lune a longuement brillé dans ce rectangle ouvert sur le bleu noir. Puis la hulotte a lancé son cri de métal, dans un arbre du verger. Berthe a rêvé qu'une forte pluie battait la terre, et pourtant le soleil flambait au ciel. Le soleil, dans les rêves, signifie le roi, disent les clercs. Et la pluie? Berthe aime le roi, son roi: le sage Robert. Il naquit en avril, quand les astres exercent leur influence la plus généreuse, disent les clercs. Berthe a mis au monde l'enfant du roi. Près de deux jours déjà, et ils la laissent seule. La vieille Brunaut, toute grise, entre et ressort, apporte le vin herbé, le pain chaud, remporte la bassine, ne parle guère. Le lait monte, presse; les seins vont éclater.

Robert, où es-tu? Où as-tu caché notre enfant? Pourquoi me l'avoir ôté sans même me le montrer?

Voici trois ans qu'Archambault, évêque de Tours, les maria. Sa haute église retentissait de la psalmodie des moines et des acclamations du peuple fidèle. Berthe pleura. La plupart des autres évêques avaient dit non, menacés ou convaincus, cédant aux pressions hypocrites du primat, ce Gerbert qui a juré d'empêcher un tel crime, tel est le nom dont il gratifie notre amour et le désir qui nous joint. Le vieux roi aussi avait dit non. Pourtant Robert était libre, depuis qu'avec l'accord de ses clercs il avait répudié sa dérisoire épouse, Suzanne, la grosse Italienne, veuve d'Arnoul de Flandre, toute de chair molle et de poil noir, que les vassaux lui avaient imposée quand il avait à peine seize ans, et elle plus de quarante! Mais Gerbert aboyait en chaire, circonvenait en secret les prélats, pourchassait insidieusement le vieux roi, taxait notre union d'inceste parce que nous sommes cousins... Pourtant, l'amour est le plus fort. Et maintenant notre enfant est né.

Berthe s'extrait de la couette, se laisse glisser du lit, quatre pas de ses pieds nus jusqu'à la fenêtre; elle regarde sans voir, enveloppée de sa longue chemise d'accouchée. Elle a mal. Elle geint doucement. Pourtant le bonheur en elle n'est qu'endormi.

C'est à Reims qu'ils s'étaient rencontrés d'abord. Eudes, comte de Blois, l'époux de Berthe, venait de mourir, loin d'elle, d'apoplexie à ce que disaient les clercs, et la jeune veuve venait au synode défendre son droit. Contre la meute de ces loups, le prince Robert avait pris sa défense. La chaleur de juillet martelait la campagne. Entre les saules de la Vesle, les filles en piaillant se troussaient, barbotaient dans les reflets lumineux de la rivière, s'aspergeaient l'une l'autre à deux mains avec de grands rires. Au pied des murailles, le long du chemin où caracolaient, torse nu, leurs frères, les grappes du sainfoin, roses et mauves, bourdonnaient d'abeilles. Robert souriait. Leurs doigts se touchaient, et leurs regards. Ils étaient sortis dans la fraîcheur du soir. Le soir était comme le matin d'un monde nouveau.

De Robert, Berthe est sûre. Mais pourquoi ces gens lui ont-ils pris l'enfant? La sage-femme s'est aussitôt détournée, enfuie: où? pourquoi? est-ce ainsi qu'on traite une mère? La colère soudain éclate en Berthe, du poing elle frappe les murs; elle se jette sur le lit, écrase de coups furieux le volume léger de la couette. Elle sanglote, elle... Gerbert interdisait ce crime. L'inceste mutilait Dieu lui-même. Le vieux roi Hugues faisait non, de la tête et du doigt, ne parlant plus guère. Robert pliait. Mais trois mois après que la maladie eut emporté son père, et s'étant assuré du soutien des vassaux, il tint promesse. C'est ainsi qu'ils s'épousèrent. Or, ce jour-là même, du fond de sa ca-thédrale, entouré de sa cour, Gerbert, solennellement, voua aux vengeances du ciel cette «oie de l'enfer», criait-il: c'est ainsi qu'il la nommait.

Berthe a trop mal. Elle se traîne à la porte, en-trouvre, crie à l'aide. Elle prend peur.

❑

Brunaut trottine, menue vieille aux traits aigus, au regard clair sous la touffe de cheveux presque blancs. Elle porte, enveloppé dans le pli de sa manche, un enfançon dont en sort la frimousse rougeâtre, aux yeux fermés.

Grand Dieu! Berthe s'est redressée, tend les bras, se jette au-devant de la servante.

«Donne-le-moi!»

Avidement, elle saisit le nouveau-né, le couche au creux de son coude. Sa joie la grise. Du bout des doigts elle va faire glisser l'étoffe qui bande sa poitrine endolorie. Mais soudain, la voici qui pousse un cri.

«Ce n'est pas lui!»

Elle a lâché l'enfant sur le lit, avec rudesse. L'enfant pleure. Elle sanglote, frappe du pied, lève la main sur Brunaut, qui s'esquive.

«Ce n'est pas lui! Donne-moi mon enfant!»

Comment apaiser cette furie? Berthe est une petite femme fluette et silencieuse, aux énergies cachées et dont les colères stupéfient. Brunaut lui prend la main, y porte les lèvres, parle à mi-voix.

«Vous ne l'avez jamais encore vu, maîtresse...

— C'est vrai. Vous me le cachez. Mais je sais que celui-ci n'est pas le mien!»

Berthe arrache sa main de celle de la vieille, à la volée gifle la joue grivelée, où croît un trio de poils gris.

«C'est pour le lait, maîtresse. Couchez-vous donc, vous serez mieux.»

Berthe s'étend, docile tout à coup, reprend l'enfant dont les lèvres tâtonnent avant de saisir le mamelon qui s'offre. Berthe le perçoit à peine, ne voit rien, une unique pensée surnage dans ce naufrage: «Mon enfant est mort, ils n'osent pas me le dire...» Ainsi s'explique l'absence de Robert et des Grands.

La vieille s'est assise au bord du lit, sa main caresse avec douceur le front, l'épaule nue.

«Les temps sont mauvais, dit-elle.

— Que veux-tu dire?

— Le feu follet a voleté toute la nuit au cimetière de Notre-Dame. On a entendu le murmure de la voix des morts, il montait de leurs tombes à travers cette terre qu'on a jetée sur eux.

— Brunaut, dis-moi donc...

— Mon Gauthier alluma dans la salle des gardes la chandelle bénite. J'ai ficelé un bouquet de rameaux de Pâques à la fenêtre.

— Brunaut! Brunaut! Je t'en supplie! Mon enfant...

— Tous ont peur. Les signes sont funestes. Les clercs l'assurent. Le monde touche à sa fin. C'est écrit dans le Livre. Qui donc sera trouvé juste?»

La vieille soupire. Elle pose bien à plat sa main droite sur le front de Berthe. Elle reprend:

«Ce matin est arrivé de Rome le message. En avril, ils ont élu Gerbert pour pape.»

Elle se tait.

Dans l'esprit de Berthe, une idée s'imprime et cuit comme une brûlure: Gerbert, l'ennemi. Et qui maintenant a tout pouvoir sur l'action des rois et le salut des humains.

Plus bas, la vieille ajoute des mots que Berthe entend à peine. Ils parlent d'un concile qui va la condamner, exiger de Robert qu'il la répudie…

Plus rien n'importe. Le soleil a tourné. L'enfant gavé roule du sein, bave et rote. Le jour dehors doit approcher de son midi. Des voix d'hommes s'interpellent, on entend grincer des chariots.

Sans secousse, presque sans geste, la vieille a repris l'enfant, le berce entre ses bras.

Elle dit:

«Sa mère est morte.»

Puis:

«C'était ma fille, maîtresse.»

Berthe n'écoute pas. Tous l'ont abandonnée. Même le soleil et sa lumière, parmi ces tentures où elle étouffe. Tout est fini, le corps et l'âme. Tout s'est vidé. Même la souffrance, ce grand trou au centre de l'être.

Soudain, un cri s'échappe d'elle:

«Il est donc mort! Dis-moi qu'il est mort!»

Berthe retombe sur les coussins, sa force s'en est allée.

«Il n'est pas mort, maîtresse», murmure la vieille. Elle hésite.

«Pas encore.»

Berthe parvient à tirer d'elle d'autres mots:

«Au moins, montre-le moi. Je suis sa mère.

— Mieux vaut ne pas le voir, maîtresse.»

Des deux mains, Berthe masque son visage de reine. Elle pleure comme pleurent les femmes. Elle pleure comme saigne une blessure qui ne se refermera jamais.

Dehors, très haut, dans le regard de la vieille, un vol d'oies sauvages file vers les marécages de Sologne. Les rustres racontent que ces oiseaux sont messagers de l'Autre Monde.

❑

Immobile sur le seuil, le roi regarde cette femme. Il a tout fait pour elle. Il l'aime. Le désir en lui ne veut pas mourir. Mais il a peur. Quelque chose s'est opéré en elle, par elle, sur quoi il est sans pouvoir. Pour l'épouser il s'est brouillé avec Gerbert, qui fut son précepteur, son guide, et qui maintenant règne sur l'Église de Dieu. Gerbert fulmine. Le premier bref qu'il a émis ordonne séparation et pénitence publique des époux. Lui, Robert, dira non. L'archevêque de Tours le soutient; son chapelain l'a d'avance absous. Pourtant aucun de ces clercs ne connaît l'énormité du crime. Seul Gerbert la présume: d'où ses fureurs. Eux, ils comptent sur leurs doigts les degrés de cousinage, tracent en vertu de leurs conventions la frontière de ce qu'ils nomment l'inceste. Ce qu'il sait, lui, Robert, lui seul — depuis la noire vision qu'il eut, la nuit où ses veneurs l'égarèrent en plein orage dans la forêt de Compiègne! — c'est que Berthe est sa sœur bâtarde, née d'un adultère du feu roi.

Il l'aime. Elle le fascine. Il la désire, malgré l'horreur. Que lui dire, du fond d'une telle solitude? Le péché commis, elle en ignore la vraie nature. Comment comprendrait-elle le châtiment qui les frappe tous deux, injustement solidaires? Elle sanglote, jetée en travers du lit, les épaules secouées de soubresauts. Partout le péché rampe sur la terre, nous englue. «Le monde finira bientôt», répètent les clercs, et les voici à commenter le chapitre vingtième de l'Apocalypse de Mgr saint Jean. Pas une province du royaume qui ne se vide de ses plus saints hommes, partis au-devant de leur Sauveur, en pèlerins de Jérusalem. «Que nous reste-t-il? Convoitise nous séduit, Cupidité nous mène, nous cédons à Violence, Ambition, Orgueil, Démesure... Baudouin de Flandre, Foulque d'Anjou, et les Normands encore à demi barbares, Arnoul de Reims, Amiens, Blois et leurs comtes rebelles: triste royaume que celui dont le Seigneur m'a voulu le législateur et le chef! Monstre à tête de roi! Monstre... Que dis-je? Pardon, mon Dieu, épargne celui que tu t'es choisi! pauvre nomade, errant de Poissy à Senlis, Arpajon, Étampes, Orléans, son petit espace, sa très petite liberté. Non, pas de liberté, quand tel péché nous tient!»

Elle est là, elle n'a pas changé de posture, les épaules ne s'agitent plus, elle a dû s'assoupir. Dieu lui fasse miséricorde!

J'ai agi de mon mieux, pense Robert. Les abbés de Cluny en témoigneront devant Dieu, qui ont entrepris de réformer le monde. Ils comptaient sur mon aide et l'ont obtenue; sur l'appui des grandes abbayes dont j'ai réussi à m'instituer le patron, Saint-Martin de Tours, Saint-Denys, Saint-Germain-des-Prés. Quel que soit mon péché, Seigneur, tu épargneras en moi le roi, ton élu. Je le sais. Tel est l'ordre de l'univers. Mes clercs me l'ont dit et redit cent fois.

Pourquoi faire porter, Seigneur, le poids entier du mal sur cette pauvre femme innocente, presque innocente? sur l'enfant du crime...

Je ne la chasserai pas, quoi qu'ils me conseillent, quoi même qu'ordonne leur pontife. Je la conserverai sous ma garde, en dépit des manœuvres jalouses, des coquetteries ignobles de celles qui rêvent de régner à sa place, cette Constance l'Angevine, beauté de pierre au regard de métal, néanmoins si désirable... tant d'autres.

Le lit crisse, le corps léger de Berthe se retourne. Les yeux voient la pénombre ambiante, les tentures, le quadrangle plus clair de la porte, Robert.

Deux plis creusent les joues du roi, de part et d'autre du nez large et droit. Le front se ride. Une passion brûle au fond des orbites. Une cotte verte à soutaches d'or, les braies grises lacées de courroies embrassent strictement le torse grêle, les membres fins.

«Robert...»

Berthe se lève, fait un pas.

Des voix s'emmêlent dans la chambre voisine, des bruits de pieds feutrés. Quelqu'un appelle, tout bas: «Sire!» Puis un mouvement confus se dessine derrière Robert, qui lui fait face et vers qui des bras se tendent. On l'emmène.

❏

Le moine Helgaud est resté quelques pas en arrière quand les autres ont disparu.

«Moine!» appelle Berthe.

Elle supplie. Les décrets divins sont insondables. Robert n'est plus là. Robert a vu sa détresse et n'a rien dit. Le regard de Robert...

Une grande pitié submerge Berthe, mais en même temps se ranime en elle la colère. On le lui a pris! On lui a pris son époux légitime après l'enfant. La colère vire en haine.

Helgaud s'est approché, petit homme dur qu'enveloppe le froc austère.

«Qu'avez-vous, reine?» demande-t-il.

Berthe s'est dressée au pied du lit, droite dans son linge blanc. Elle se tord les mains. Elle crie.

«N'approche pas! Ne me touche pas! Il faut m'entendre! Qu'ils m'entendent, tous ces clercs qui me condamnent! Jugez-moi, formez un tribunal, appliquez-moi l'ordalie s'il le faut! Mais jugez-moi, jugez selon la justice!»

Elle frappe le sol du pied, agite les mains, trépigne. De grosses larmes roulent sur les joues, la défigurent; elle est vieille et laide, elle qu'on sait belle et jeune... Helgaud se signe, s'écarte, puis court à la chambre voisine, reparaît. Le chapelain du palais le suit, et quatre clercs, l'œil méchant, que domine la haute taille de Wido, l'évêque, drapé de son manteau et qui tient un cierge dans le poing.

Berthe n'a pas changé de place. Elle voit ces gens. Encore une fois déferle la vague, du fond d'elle, avec ses rumeurs de tempête: Helgaud les perçoit, Helgaud écoute avec terreur ce tumulte d'une nuit remplie de convulsions obscures, d'inavouables naissances. Berthe hurle à pleine gorge, les poings serrés, le visage droit, offert nu à ces regards:

«Injustes et mauvais, qui inventez vos lois pour nous accabler des fautes qu'elles engendrent! Que Dieu vous juge, assoiffés de puissance que vous êtes! Qu'ai-je fait? Qu'a fait le pieux roi Robert, mon époux devant Dieu, devant tous, à jamais? Et l'enfant du malheur, que vous nous avez pris...»

La poitrine haletante cherche son souffle. La bouche vomit l'insulte:

«Hypocrites! Hypocrites et menteurs, prêtres indignes! Que Dieu vous punisse, vous livre au Démon et au feu qui ne s'éteint pas!»

La voix se brise. La femme cependant ne pleure pas. Elle se tient là, blême, immobile, statue — mais on sait que le Mal la sature. Soudain un frémissement la parcourt, la mâchoire se crispe, la femme va bondir, se ruer, mordre, en désir elle a déjà tué.

Wido s'avance, élève les deux mains devant lui comme s'il repoussait un fantôme. Distinctement, il articule des mots latins, puis les traduit:

«Par le Père, le Fils, l'Esprit Saint, sois maudite!»

Un murmure se répand parmi le groupe des clercs. Quelqu'un chuchote: «Oie de l'enfer...» Mais les mots s'étouffent dans les paroles du *Pater noster* qu'ils se mettent à réciter ensemble. Wido se signe, souffle le cierge, et tourne le dos.

❏

En silence, ils traversent la chambre voisine. Au-delà s'ouvre la grand-salle. Le roi s'y est réfugié. Il les attend, assis dans un siège surélevé, le bras à l'accoudoir, la main au menton, sans regard. Deux tabellions l'encadrent, sur leurs tabourets bas, avec leurs planchettes cirées et leurs stylets.

«Elle est possédée!» grommelle Wido.

Il arrache son manteau, le laisse choir à terre, fait deux pas dans son élégant costume de cavalier. Le talon de ses bottes bat le plancher.

«Je te le répète: Elle est possédée!»

La tête du roi s'est affaissée sur sa poitrine: il ruse, pense Wido, pour me cacher ses yeux.

«Il est temps, roi, de tenir conseil!»

La tête ne fait aucun mouvement.

Wido élève le ton:

«Tu sais tout, roi. Je n'ai rien à t'apprendre. Le démon se sert d'elle pour t'asservir, ainsi que nous tous, et nier le pouvoir divin. Mais elle sera châtiée, crois-le! et toi de même si tu ne te soumets pas. Le monde va finir, tu le sais! L'heure est passée, de temporiser. Il faut plonger le fer dans la plaie, le fer rouge!»

Il se tait. Le visage du roi se redresse, le regard le toise, sans expression.

La voix de Wido détache, menaçante, les syllabes des mots:

«Ce que tu engendras en elle, roi, est-ce un enfant ou un diable? Un tel être a-t-il une âme?»

Le roi n'a pas bronché. A-t-il même entendu ces phrases? Wido s'approche encore, à longueur de souffle. Il dit:

«Tu sais pourquoi je l'ai fait enlever: Hugo te l'a exposé de ma part. Le salut du royaume est en jeu, non moins que le tien propre. Quant à elle... Qu'est-ce donc, dis-moi, que cet enfant prétendu?»

Wido hésite; sa voix frémit et ajoute, tout bas:

«... ce corps humain à tête d'oie?»

Un hoquet suit ces mots, la sensation d'une nausée irrépressible. Wido n'a pas contemplé plus de quelques instants le monstre, l'a tenu moins encore dans ses mains. Son cœur, son estomac se révulsent à ce souvenir. Le long col de peau flasque et distendue, le bec, l'œil jaune et vide, le crâne nu!

Les quatre clercs flanquent Wido, figés d'effroi. Wido empoigne l'un d'eux par le col, le secoue, le dévisage, hors de lui. Il crie:

«Serait-ce l'Antéchrist, dis-moi? Toi qui en prophétises à tout bout de champ la venue prochaine? Parle, au nom du Christ, parle-nous, et que finisse le cauchemar!»

Il lâche le clerc, qui recule, trébuche, se retient à la table. C'est un moine de Saint-Martin de Tours, mandé par le roi pour sa science des livres.

«Selon le Traité de Maître Adson, abbé de Montier-en-Der, balbutie-t-il, l'Antéchrist naîtra de l'accouplement d'un père et d'une mère comme les autres. Le Diable entrera en lui dès sa conception; mais...»

Comment savoir? La tête monstrueuse est certes un indice accablant.

«Roi et reine forment-ils un couple comme les autres?» bredouille le moine, qui rougit jusqu'à la tonsure.

Mais les temps sont vraiment trop mauvais. Jamais on ne vit pareille décadence. L'univers se putréfie sous l'œil et la narine de Dieu.

«Ce qui est indubitable, c'est que l'heure va sonner du millénaire ravageur, reprend le moine d'une voix affermie, où tout sera jugé selon son mérite ou ses crimes. Je vous le répète: l'Antéchrist est parmi nous; qui en douterait encore sans pécher?»

Le discours du moine cingle maintenant comme l'appel d'un désespéré.

«L'hérésie pullule, et le blasphème. Le mensonge règne. L'ignoble Tanchelm, ange de Satan, dans l'évêché d'Utrecht, traite de bordels les églises mais couche avec ses dévotes! Son disciple, le forgeron Manassès, à Thérouanne, spoliateur de dîmes ecclésiastiques, pourchasse la dague au poing les prêtres du Seigneur; Leutard, vers Châlons, ce rustre crotté, affiche son mépris des sacrements divins, pisse au pied des autels et fait des adeptes à tout-va! Et les autres, pouah! partout, à Liège, Reims, Arras, en Germanie! L'impiété se propage, infecte le clergé lui-même, aveuglé par l'ignorance et son amour honteux de la chair, cependant que l'Infidèle triomphe, comme le Maure Al-Mansour qui pilla le sanctuaire de Saint-Jacques en Galice voici deux ou trois saisons. De quoi doutez-vous encore?»

Wido, d'un geste, ordonne à l'un des clercs de ramasser son manteau. Il s'en drape. Il affecte de dédaigner la présence du roi. D'un ton modéré, sachant contenir sa voix dans les pires colères, il s'adresse à ses compagnons.

«Il s'impose d'éloigner du roi l'enfant monstre avant que le scandale ne s'ébruite. Quant à la mère...»

Il s'interrompt, se signe, abaisse les paupières.

«Le temps nous manque pour réunir le synode. En ma qualité d'Ordinaire de ce diocèse, je conseille de jeter le monstre au feu. Par mansuétude, étranglons-le d'abord.»

Un chuchotement tient lieu de réponse. La sagesse de l'évêque est connue dans toutes les Gaules.

Wido s'approche de la porte qui mène au grand escalier et à la chapelle. Ils le suivent. Leurs voix se mêlent à celle de leur maître.

Le roi les écoute. Ils chantent un de leurs psaumes, demandent à Dieu de juger le roi, de faire justice au fils du roi... Le roi les voit un à un passer le seuil. Ils ont de belles voix.

Il les hait.

❏

Peut-être dehors le soir tombe-t-il déjà. Peut-être sur les marais de Sologne, où jouent les ombres du bois, le cri solitaire du butor résonne-t-il. Berthe aimait tant les soirs d'été, où après la moiteur du jour une douce rosée émanait des plantes, comblait le ciel sillonné d'oiseaux. Les chevaux soulevaient de leurs sabots des gerbes d'eau perlée, d'un coup de reins ils remontaient la berge sableuse, la bride relâchée les laissait prendre leur galop entre les rangées odorantes des pins. Le destrier fauve de Robert filait en tête, la royale chevelure flottait dans ce vent comme un panache...

Berthe pleure. Elle tremble. Elle n'aime plus le soir. Plus rien.

Ils l'ont abandonnée. Brunaut même. Depuis combien de temps gît-elle sur ce lit, presque inconsciente?

La chambre est sombre. À la fenêtre, les reflets du jour ont verdi, puis le ciel lentement passe au bleu. Il semble qu'une étoile s'y allume. Il faut aller voir. Berthe recueille ses membres, s'efforce. Elle ne parvient pas à se lever. Le pied droit lui fait mal. Il enfle, refuse tout mouvement.

Ils l'ont maudite! Que cachent les mots qu'ils ont prononcé, quel malheur nouveau va survenir?

Berthe est pure. Elle est fidèle. Pourquoi lui faire porter à elle le poids du monde? Ils lui ont pris l'enfant, n'est-ce pas assez de souffrance?

Ils se vengent; mais de quoi? Du mal qu'ils ont eux-mêmes causé. Leur pontife frais émoulu l'a traitée d'oie de l'enfer! Elle le sait: Hugo le lui a rapporté. Les mots résonnent encore en elle.

Elle se redresse, elle va se mettre sur son séant; elle... Le poids de son corps l'immobilise. Elle va crier. Sa gorge n'émet aucun bruit. Elle regarde l'ombre devant elle. Dans ses yeux grands ouverts, les discours se sont enfouis, refoulés dans les profondeurs où s'annulent les mots. Seul reste cet effroi. La jambe droite ne remue plus, la voici inerte sous la couette. Il semble que le pied durcisse, se paralyse. Lentement, l'ombre revêt une forme. Un corps s'y ébauche. On ne distingue que sa silhouette, basse et trapue, le visage invisible se contracte en affreux rictus, des cornes de bouc le surmontent, de longs poils le recouvrent, ils puent le soufre et la poix...

De la chapelle monte l'écho assourdi d'un psaume. Une douleur rayonne dans la jambe, le ventre, la tête; les yeux se troublent; à la fenêtre roulent des nuages de fer dans le firmament éteint.

Pourquoi une telle solitude, Robert, mon époux, mon roi? Comment peux-tu? Plus aucune lueur ne dessine la fenêtre. Berthe est entrée dans la nuit.

Elle a trop mal! Le pied enfle, il s'ouvre, il éclate, de quelle horreur accouche-t-il? Berthe, à deux mains, arrache la couette. Au bout de la jambe nue, le pied frémit nerveusement, la peau desséchée se délite en copeaux verdâtres, les muscles atrophiés ne sont plus qu'une patte tendue; les doigts, des griffes que relie en palme une membrane noire.

Berthe retombe sur les coussins. Elle s'est évanouie.

Sans bruit, le roi Robert s'est glissé dans la chambre. Par la porte qu'il a entrouverte, lui parvient la voix grave d'un chantre.

Robert referme le vantail derrière lui. Une larme roule le long de son nez.

Le gué

«Gare!...»

Les berges tournent et s'écartent, le vieux Vlad se crache dans les mains, plante sa gaffe au pied de la falaise, pousse, coude à coude avec Iorgu, le flemmard, ruisselant de sueur sous la peau de mouton qui ne le quitte pas.

«Plus fort, eh! bon à rien!»

Le tumulte des eaux couvre la voix.

Arqués sur les gaffes, les muscles des bras saillent sous la peau brûlée. La force entière des trois hommes s'y concentre.

Le bois touffu, barbelé de ronces, enlacé de vigne sauvage, tombe à pic dans la rivière; l'autre bord s'étire en prairie spongieuse, verte et crue, sous l'amoncellement des rochers.

«Gare!»

Dans les eaux folles du rapide, le radeau tangue, une vague crêtée d'écume le prend par le travers, puis retombe. Des troncs raclent la roche, craquent, s'entrechoquent. Les chaînes résistent et grincent. Au cœur du brouhaha, la bouche d'Holovits chante. On n'entend pas les mots. Seul Holovits n'a jamais peur; ou bien, il refuse par orgueil de le montrer. Les deux autres se signent. Le pis, c'est le coude formé par la rivière aussitôt en aval du rapide: avec une énergie chaotique, la Bistritsa se jette sur son propre rivage, elle y a creusé un gouffre profond agité de remous, tandis que le courant principal galope au centre. Par grand vent, inutile de tenter le passage. Heureusement, ce soir...

Au pied des rochers, à gauche, un demi-cercle de terre basse, inondée, luit d'un bleu très clair et, par-delà, frissonne dans la brise le rideau des joncs.

Ils ont passé!

Le soleil déjà bas projette l'ombre des sommets sur le val, encaissé entre les pentes tendues des cimes jusqu'à cette cassure de roc gris. Jusqu'à cette eau si pure, d'où s'exhale un froid parfum de printemps.

D'une bourrade dans le dos d'Holovits, Vlad dit merci à leur bonne étoile. Il rit. Holovits, c'est le meilleur des flotteurs de bois de la vallée. À vingt ans, déjà célèbre dans les villages, du col de Prislop jusqu'à Bicaz, où se livre la marchandise! Holovits est beau. Les filles le suivent du regard. Il pourrait être le fils de Vlad, un grand fils au visage fier et net, à calotte de cheveux blonds, aux membres durs. Combien de temps durera-t-il encore, lui Vlad, petit et mince, agile et jadis très fort, maintenant le cuir rongé de barbe grise, avec des poils pleins les oreilles et deux petits yeux noirs luisants fichés dans la tête comme des boutons?

Ils se tiennent accroupis côte à côte, à l'avant. Plus de problème jusqu'au gué. De souples liens de chaînes et de corde retiennent les troncs qui, le temps de leur flottage, servent de radeau aux hommes qui les guident. Le courant s'étale en bassin, on longe sans bruit une autre zone marécageuse, aplatie au pied de la hêtraie. Surpris, un héron s'élance, s'affole, traverse le regard avec de lourds battements d'ailes; l'extrémité de ses pattes traîne dans l'eau et dessine un double sillage. Au-dessous des sapinières qui enrobent les crêtes, la futaie, là-haut, vire du mauve au vert tendre et joyeux.

Vlad s'est assis sur l'un des billots, à côté d'Holovits. Iorgu, le flemmard, tient la gaffe. Vlad est fatigué. Il s'inquiète. Il y a trop de menaces partout. Il est vrai que c'est de beau bois que celui qu'ils flottent, du chêne abattu de novembre à mars, là-haut, dans la montagne, entre les langues de neige, puis traîné par des chevaux jusqu'à la rive. Pourtant il y a trop de méchanceté dans la vie. Sans compter Ali le Turc...

«À quand le gué? demande Iorgu, avec hargne. Tu ne vas pas nous...

— On passera demain. Ce soir on fait halte», répond Vlad, placidement.

Passer de nuit le gué serait tenter Dieu. Le gué maudit, qu'on ne peut éviter d'aucune manière, au fond d'un étranglement toujours obscur de la vallée, au-dessous d'un balcon de roc... Jamais la lune n'en pénètre l'ombre, et même en plein jour il y règne une obscurité de cave. Le train de bois le mieux harnaché risque de se briser sur les étocs dissimulés dans cette eau noire que le regard ne pénètre pas. L'homme qui le guide n'a plus alors grand-chance de s'en sortir. Combien ont péri, le ventre écrasé entre deux troncs invisibles? La plupart d'entre nous préfèrent sortir les madriers et les faire haler sur la rive par un cheval: ça prend une grande journée de travail, même deux; mais c'est plus sûr.

On l'appelle le gué à cause de sa faible profondeur. Mais les anciens nous assurent que chaque fois qu'un homme, même de très grande taille, voulut l'emprunter pour passer d'un bord à l'autre, il se perdit dans les ténèbres et jamais on ne l'a revu. Telle est la légende du gué dans la vallée. Pour les gens d'ailleurs, c'est le «gué de Bicaz»; mais on l'appelle par ici le gué de l'Enfer, pour sa noirceur; et personne n'aime prononcer ce nom. Beaucoup d'anciens héros y firent connaître leur bravoure: on en chante encore la geste à la veillée, quand novembre nous force à rentrer, pour commencer la longue attente d'hiver. À tous le gué fait peur. Vlad se signe, pieusement. Son père y mourut, et celui d'Ion aussi. Combien d'autres, qu'on ne sait pas?

Une barre de lumière tranche la tête des montagnes et poudroie, très loin au-dessus d'eux. Un printemps encore, pense Vlad. Combien en verrai-je avant la fin? Peu importe. Ce qui fait la vie, c'est ce retour inexorable, quelques jours plus tôt ou plus tard chaque année, quelle différence? Le brouillard léger qui lève, au matin, des prairies semées de primevères givrées par le froid de la nuit: chaque année, jusqu'à quelle mort qu'on ne peut même pas imaginer...

Le flot file sous eux, devant, derrière, partout, le monde entier glisse sans à-coups, en larges méandres. Les saules de la rive trempent à la rivière leurs dernières branches, de petits oiseaux pépient sous cet abri. Une bonne demi-heure encore, une heure si le courant faiblit, jusqu'à la halte. L'eau respire, halète en touchant la rive, elle en suce la vase avec un bruit de bouche.

Les anciens disaient que la rivière nous rend libres. Mais c'est une liberté dangereuse.

On entend soudain la voix calme de Vlad, qui prononce:

«On est libres...»

Holovits rit.

«On serait libres sans Ali!»

Vlad hausse les épaules. Ce nom néfaste ranime une autre peur, plus insistante et plus vague. Ali, c'est l'un de ces Turcs que nos princes n'ont pas eu le pouvoir — ou le courage — de chasser, et qui se croient encore aux temps où leurs semblables étaient nos maîtres. Il règne sur la haute vallée, patron des flotteurs de bois, avec le droit de prélever sur eux sa dîme. Mais c'est seulement de bouche à oreille, par crainte de sa vengeance, qu'on chuchote le récit de ses méfaits.

Holovits crache dans sa paume, afin de ne pas souiller la rivière.

«Qui porte la barbe, qu'il s'achète un peigne», dit Iorgu, sentencieusement.

C'est un proverbe qui veut dire: à chacun son souci. Depuis l'automne passé, le Turc ne cesse de tourner autour de Lina, qu'aime Holovits. Chacun le sait, et Lina se garde. Holovits affecte de s'en moquer, sûr de lui, et d'elle plus encore. Mais ses plaisanteries sont-elles sincères?

À son tour Vlad crache. Le crachat s'aplatit sur le bois.

Ils approchent. L'eau est maintenant très sombre, sous le ciel mauve d'où le soleil s'est retiré. Un dernier rayon mordoré et poudreux traverse la fissure des rochers, loin au-dessus d'eux, et les frappe en plein visage. L'eau est profonde, elle porte bien: la terre est bonne dans les fonds.

❏

À l'intérieur de la vaste courbe que décrit ici la vallée s'est formée une plage de sable blond, cernée de saules et de frênes que leur ombre confond en masse indistincte.

C'est là.

Le ruban plus clair d'un sentier se déroule à couvert des branches basses. Deux pieux émergent de l'eau fangeuse.

À trois, ils gaffent, poussant le radeau vers la plage où déjà s'enfoncent les premiers troncs.

Ils lient les amarres. Une cabane de chaume est destinée à protéger les hommes de passage durant la nuit: on franchit le gué tôt le matin, avec le soleil dans le dos et un bon cheval ou deux de halage. Iorgu sifflote. C'est son tour d'aller chercher les bêtes à Bicaz; ça veut dire pour lui une longue soirée à la taverne. Il les ramènera avant l'aube.

«Dieu te garde!»

Vlad se signe.

«Alors?»

Holovits jette à terre le sac de cuir qui contient le pain, la gourde et le fromage de brebis.

«Tu me quittes?

— La mère...»

Vlad connaît la ritournelle, il s'en amuse. Sa vieille mère malade, oui! Holovits aime sa vieille mère mais préfère Lina, c'est tout. Chacun le sait.

Vlad hoche la tête: une fois encore, ce grand fou va passer la nuit sur les sentiers du bois pour une heure d'amour avec sa jolie...

Il demande:

«Tu as une arme?»

Holovits rit.

Il laisse les autres à leurs craintes. Lui n'a peur de rien.

Vlad hoche la tête. Tôt ou tard il arrivera malheur. Avec insouciance, Holovits nie le danger et court, Vlad le pressent, au-devant du pire: pour lui-même et pour nous.

Il s'éloigne sur le chemin étroit qui, un peu au-dessus du lit de la rivière, longe la falaise, sous les arbustes agrippés à la pente. Le chemin court parallèlement à l'eau invisible et bruissante jusqu'à la hauteur du gué et là, tourne à angle droit pour piquer vers le village.

La nuit tombe. Holovits entend, derrière, Vlad traîner des branchages, battre le briquet pour allumer son feu. Une chouette hulule. Puis, de toute part, le silence enveloppe la montagne.

Holovits a hâte. Il est heureux. Il trouvera Lina derrière la grange de Vasile, en bas du village, où l'ombre est propice à ceux qui s'aiment.

Lina est belle. Ce qu'elle dit, ce qu'elle touche devient vrai, on n'a plus besoin de preuves, c'est le miracle de la beauté. La ceinture rouge étreint sa taille; au-dessus, au-dessous s'épanouissent des courbes si désirables que parfois la jalousie vous donnerait le goût d'aveugler tous les hommes de la vallée afin de jouir seul de cette vue-là. Holovits un jour l'a surprise au bain, Lina, et ce regard a suffi à les donner l'un à l'autre. Elle sortait d'une vasque de la rivière, Lina, le visage innocent et tendre, d'une nudité si parfaitement pure! Puis elle se peigna, assise sur une souche, ses cheveux coulaient comme une eau sombre entre ses doigts.

La nuit n'est pas encore tout à fait close. Une lueur argentée se diffuse derrière la masse obscure d'un sommet. La lune va sortir. Holovits rit, pour lui seul. Il existe. Il…

Il est sorti de l'ombre. La lune, à son premier quartier, passe la crête. Le sentier coupe une prairie aux fleurs en larges corolles, d'un gris vert uniforme sous cette pâle lumière, mais qu'on sait mauves ou jaunes, ou rouges comme le sang. Une brume très légère se forme sur la rivière et commence à en descendre le cours.

Soudain, Holovits se raidit.

Le Turc est là!

Ali, le maître-flotteur, le rival.

Le Turc s'est posté à l'abri du rocher où débouche la piste du gué. Il sait qu'Holovits va rejoindre Lina, comme tous les soirs. C'est ici le seul chemin qu'il peut prendre. Il n'évitera pas le piège.

Holovits se tasse dans l'ombre du chêne. Il épie.
L'autre ne se cache plus même. Il se tient maintenant
debout sur la dalle de granit inclinée vers l'eau noire.
Les pieds calés contre la pierre, il domine le gué de
l'Enfer. À sa ceinture luisent les lames nues des six poignards dont il ne se sépare jamais et qu'il porte sans
gaine, un défi.

Holovits n'a d'arme que ses poings.

Il s'avance en pleine clarté lunaire et pousse un
grand cri.

❏

Depuis combien d'heures luttent-ils, corps à
corps? Une langue d'eau noire clapote à leurs pieds.
Pas à pas, sans s'en rendre compte, les voici qui entrent dans le courant du gué! Une tache plus noire
frémit à sa surface, faite de leurs sangs mêlés. Holovits
tient le Turc à la gorge, pèse sur les épaules, les reins;
le Turc résiste, arc-bouté, se secoue, écarte ce poids,
tire l'avant-dernière lame. Quatre déjà ont été brisées.
Chaque fois, Holovits a fait dévier contre le roc le
coup qui devait le finir. Il a mal. Mais il tuera le Turc,
il sait qu'il le tuera, qu'il en délivrera, pour de bon, en
même temps que Lina, tous nos villages! Il se ramasse
sur lui-même, émet un rugissement de fureur, se
lance... et voici qu'il patauge, glisse, tombe à genoux,
voit lancé vers lui un pied chaussé de cuir, baisse la
tête pour protéger ses yeux. Pour la dixième fois, le
Turc se jette sur lui avec un grognement sauvage, tête
en avant, bras écartés, lame au poing. Holovits pivote,
se redresse, reçoit le choc dans les côtes, bascule de
tout son poids, ayant du moins brisé l'élan de l'autre.

Va-t-il mourir? À l'épaule d'Holovits la plaie ne
saigne plus, mais le bras se relâche, lourd comme un
tronc; la blessure du flanc crache une sanie nauséa-

bonde. C'est pour l'amour de Lina qu'il est prêt à mourir, mais aussi pour eux tous.

Autour des deux combattants le bois s'est refermé en impénétrable muraille. La nuit exhale un amer parfum de lierre. De nouveau le visage du Turc se rapproche, il est là, il touche celui d'Holovits, son haleine pue. Il me hait, pense Holovits, ce n'est plus un visage, c'est un masque sauvage et gluant.

L'éclair d'une lame. Holovits roule sur lui-même, saisit à deux mains ce poing, de tout le corps s'abat sur la dalle. La pointe de l'arme l'a heurtée avec violence, elle éclate au ras de la garde. Le Turc rugit. Une profonde balafre ouvre du coude à la main le bras d'Holovits. Tous deux se relèvent, tournent, se mesurent, cherchent des yeux le point faible. Leurs gestes ont la précision qu'ont ceux d'un somnambule: une puissance extérieure les contrôle, ils ignorent ce qu'elle est. Dans leur dos glisse vers sa fin lointaine cette onde noire et mortelle. Sur l'autre rive, silencieux, un couple de loups les contemple; le poil droit, hérissé, taché de blanc: les plus vicieux des loups, les vieux, ceux qui s'attaquent à l'homme parce qu'ils n'ont plus la force de chasser. Ils attendent, sans un frémissement de fourrure; attendent que l'un de ces hommes-là n'en puisse plus.

La lune a presque traversé le ciel, d'un bord à l'autre de l'étroite rainure de la terre au fond de laquelle ils se battent. La position de l'astre et sa pâleur marquent minuit. Aujourd'hui a pris fin; demain rassemble ses forces pour être.

La tête d'Holovits pèse si lourd sur son cou qu'il lui semble ne plus pouvoir la porter jusqu'à l'aube. Ali respire vite et sans profondeur, comme un chien en été. Ali, ce chien… Oh, Lina!

Holovits recule d'un pas, se ramasse sur lui-même. De ce qui lui reste de vigueur, il jette un cri immense, interminable, qui roule en tonitruant d'une montagne à l'autre vers les sommets.

❑

Lina se mord la lèvre. Qui ne s'énerverait pas d'une si longue attente? Jamais il n'a tellement tardé. Le vieux Vlad, elle le sait, favorise leurs amours; mais Vlad... La grange de Vasile abat son ombre quadrangulaire par-delà le noisetier touffu qui s'appuie à son mur. L'ombre a tourné. Le croissant de lune a tracé son invisible chemin par-dessus le village. Le village s'est endormi, un peu plus haut sur la grande pente. Un chien aboie. Le chien du pope, un gros berger bonasse. Il la sent. Il sent cette présence en un lieu où elle ne devrait pas être. Au-dessus du village, le flanc de la montagne se redresse sans un pli jusqu'aux pierrailles des hauts, gris et bleus dans cette lueur liquide. Une chaude odeur de fumier traîne au ras des jardins, mêlée à celle du charbon de bois. La blancheur des maisons s'est ternie, verdâtre, çà et là noircie d'un pan d'ombre; le chaume des toits se fond en masse obscure autour du clocher de planches. Lina ne connaît rien au-delà des limites de son regard. Ce monde est trop petit pour une aussi grande attente.

Il commence à faire froid. Lina remonte son châle, le serre à deux mains sur la poitrine.

Il y a beaucoup de souffrance partout. C'est ce que répètent les vieux, ceux qui ont fait les guerres. Faut-il les croire?

Ce bruit? Un pas, assez loin, trop lent pour celui d'Holovits, si ardent et vif. Pavel sans doute, le simple d'esprit, toujours à errer aux heures indues.

Lina sourit. Mais ses yeux restent sombres. Ses yeux ne pourront jamais absorber toute l'horreur du monde. Que peut-elle faire, seule contre tous? Elle se

signe, elle joint les mains, elle promet d'aller en pèle-
rinage à Voronets. Holovits ne la trompera pas, jamais;
et elle lui sera fidèle, quoi qu'il arrive, fidèle comme la
petite brebis de la chanson, jusque dans la mort s'il le
faut. Mais ils ne mourront pas. Tout s'expliquera bientôt, parmi les rires, entre les baisers qu'on lui laissera
prendre. Dans quelques semaines les genêts seront
fleuris, auront revêtu d'or la montagne. La mère aura
sorti sur la galerie le rouet dont la pédale grince
toujours un peu, la navette où passe le fuseau... Lina
taillera les rosiers, puis elle brûlera les rameaux éla-
gués; dans la flamme ils éclateront avec un bruit de
pétard. Holovits rira de son grand rire. Il dira, pour
plaisanter: «Alors, tu réchauffes le temps?» Les vergers
seront en fleurs, les cerisiers neigeux de tout leur
blanc, les pruniers, les pêchers adoucis de mauve; aux
murs de torchis s'accrochera la passiflore, hissant vers
le ciel la couronne d'épines, le fouet, le marteau, les
clous du Seigneur martyrisé.

Voici Pavel, butant sur les cailloux, ivre comme
chaque soir, retour de veillée chez Tudor, le savetier
conteur d'histoires. L'écho de ce pas creuse la nuit et
en fait retentir le vide. Lina est seule. Personne jamais
ne l'aidera. Elle se blottit dans l'ombre. Pavel a passé.
Il trébuche. On voit sa forme sombre s'écrouler dans
le fossé.

C'est alors qu'a retenti le premier cri: lointain, af-
faibli, à peine un cri, pourtant trop sec pour n'être
qu'un murmure du vent.

Les sens à vif, Lina l'a perçu.

Il ne se répète pas.

Il semble qu'il venait d'en bas, vers le hameau de
Varatea.

L'appel d'un coq, sans doute, à l'approche de minuit.

Une nouvelle fois, Lina se signe.

Pourquoi juste alors le souvenir ressurgit-il en elle, de l'horrible Turc, notre maître, qui chaque jour coupe son chemin? Chaque jour elle détourne les yeux, crache dans la poussière. Le lendemain, de nouveau il est là. Son indifférence à l'insulte pèse sur Lina comme la pire des menaces. Le Turc va se jeter sur elle un jour. On raconte tant d'horreurs à son sujet! Et voici qu'il est là, dans cette ombre, elle en est sûre, il la guette, il...

Alors, du fond des bois indiscernables où se perd la rivière monte vers le village un second cri, plus âpre, plus long, soudain cassé comme un sanglot.

Ce ne peut qu'être le râle d'un grand cerf blessé, qui rée pour tenter de ne pas mourir. C'est le Turc qui l'a touché, pris par traîtrise dans la nuit sans regard, ayant plongé ses affreux poignards dans la chair vive, pauvre cerf abandonné, ses biches affolées vont bramer en vain jusqu'à l'aube dans leurs gagnages. Il n'y a plus d'amour pour elles. On dit les bêtes à notre image...

Le troisième cri l'a transpercée. La montagne entière n'était plus que ce cri et la douleur qu'il creusait en elle. Relevant à deux mains sa lourde jupe, les cheveux défaits, Lina courait sur le sentier d'en-bas.

❏

Le souffle haletant d'Ali se précipite. Sa bouche brûle. Boire. Boire! Il n'a plus d'arme. Brisé, le dernier des poignards. Plus que ses poings, comme ce géant Roumain plié en deux sous son poids et qui vomit en gémissant.

Ali s'écarte, se laisse rouler au côté de l'autre.

La lune s'est couchée. L'obscurité emplit la vallée. Les hommes tendent une main au-devant l'un de l'autre. Ils ne voient même plus leur main.

Ils se haïssent. Entre eux, la mort tranchera.

«Buvons!» murmure le Turc.

Il détourne les yeux. Il a honte d'une telle faiblesse.

«Buvons donc», dit le Roumain.

Il le hait; il se sait haï.

Il dit:

«Jurons d'abord.»

Ils jurent de ne point se tuer pendant qu'ils boivent. Ils lèvent ensemble la main, se touchent paume contre paume. Leurs yeux luisent comme ceux des loups, là, sur l'autre rive.

Une vasque s'est creusée sous le rocher. Ils le savent, en discernent la fraîcheur, s'approchent. Holovits, de tout son long couché sur la dalle humide, plonge les lèvres, aspire ce bien-être indicible. Assis à son flanc, le Turc puise de ses mains jointes à cette liqueur de vie, y enfouit le visage, renifle, s'ébroue.

Il se redresse, l'œil aux aguets. Un mouvement rapide vient d'agiter, un peu plus haut, l'ombre opaque; des feuillages se froissent. Un loup respecterait mieux le silence.

Et soudain, il l'a vue!

Au débouché du chemin, à trois cents pas, où la nuit moins épaisse permet de deviner une silhouette.

Elle! Ali voit qu'elle se hâte, dérape, se redresse.

Une passion s'est emparée d'Ali. Il se laisse choir sur le Roumain, à deux mains lui saisit la tête, l'immerge, la maintient, écrase le corps immense qui se débat, renâcle, rue et pour finir s'apaise et se laisse aller. Des bulles crèvent entre les mains d'Ali. En un dernier effort, Ali se ramasse, pousse la masse inerte tassée contre lui.

Tout bascule. C'est fini.

❑

Depuis lors — il y a plus d'un siècle déjà — les flotteurs de bois ou les voyageurs qui d'aventure s'engagent sur les eaux mal famées du gué de Bicaz voient briller, au fond, deux gemmes dont le rayonnement les éclaire et les guide.

Ce sont les yeux d'Holovits, qu'aucune main jamais n'a fermés.

Table

Cet ouvrage composé en New Baskerville corps 12
a été achevé d'imprimer
le six octobre mil neuf cent quatre-vingt-quatorze
sur les presses de l'Imprimerie Gagné
à Louiseville
pour le compte des
Éditions de l'Hexagone.

Imprimé au Québec (Canada)